JN077036

# 晴考雨読

## 年金暮らし 春夏秋冬

真屋 尚生

芦書房

## 《地球の四季》

青春：ニュー・デリイの朝陽

朱夏：ハワイの波濤

白秋：リスボンの夕陽

玄冬：スイス・アルプスの冠雪

# 《オックスフォードの路上で見かけた人さまざま》

歩道を補修する人たち

バスを待つ間も本を読む人

犬と会話をする人

年に1度の移動遊園地を
楽しむ人たち

《ところ変われば ポストも変わる》

England

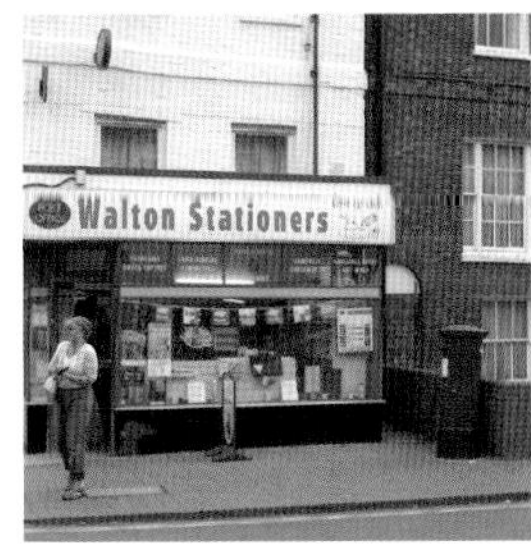


England

Japan

India

Italy

Portugal

Austria

Switzerland

France

Germany

# 《魔女は空を飛び　人は行雲流水とともに地に生きる》

箒にまたがり　空を飛ぶ
オーストリアの魔女

作州・津山を流れる
雲と吉井川

スイス・アルプスを流れる
雲と氷河

人類と地球の未来を担う
インドの子どもたちと
クリケットを楽しむ筆者

# 晴考雨読　年金暮らし春夏秋冬

# 目次

目次

# まえがきがわりの気品考

アダム・スミス（大河内一男監訳）
『国富論 I』中央公論社

福沢諭吉『改訂 福翁自伝』岩波文庫
（慶應義塾大学 第109回卒業記念）

オックスフォード大学ボドリー図書館入館証

**人間の世界に住むならば折々茶碗の一つくらい割る勇気も出て来ねば駄目だ。いや駄目どころじゃない。出す必要がある。必要じゃない。それは予定せられている。**

賀川豊彦『死線を越えて』社会思想社現代教養文庫、1983 年

〈卑見〉

勇気を出して、茶碗を割るべきときに、茶碗を割る勇気がなく、些細なことですぐキレル、匿名や仮名でしか発言できず、自らの言動に責任を持たない、気骨のない人間ばかり増えてきている。その一方で、感情に任せて茶碗は割るが、気品などは欠片もなく、理性も知性も持たず、虚栄心と権勢欲が異常に強く、人びとの命や健康よりも、商業五輪に象徴される、ごく一部の人たちの利権や要望を最優先する首相や首長が続く国が、東洋のどこかにある。

# まえがきがわりの気品考

私には、ときどき読書や映画や気候や加齢など、身辺雑記を電子メイルでやり取りをする、信州在住の、自らを「回遊人」と称する友人がいます。この友、私にとっては、その爽やかで豊かな感性で心を和ませてくれる「快友人」にして、自然体での行動力で連日―私とは対照的に早寝早起きの健康そのものの暮らしぶりで、コロナ禍もなんのその、連日ではあるが、必ずしも連夜ではない―東奔西走し、摩訶不思議な親和力で老若男女を引き寄せる「怪友人」です。

その友から、あるとき「歳を重ね、望むのは、揺るぎない内からの気品だけ」との便りが届きました。これに触発された私は、自らの来し方を少し反省し、行く末をぼんやり思い描きながら、現役を退く少し前から先ごろまで十数年間にわたり、アダム・スミスの『道徳感情論』(水田洋訳、筑摩書房)と『国富論』全三巻(大河内一男監訳、中央公論社)、福沢諭吉の『福翁自伝』『文明論之概略』(ともに岩波文庫)「瘠我慢の説」(『福沢諭吉選集 第一二巻』岩波書店)を座右に、人生の最終段階(近く)において志向すべき考え方・生き方について、「気品とは何か」を「学び心」と「遊び心」で模索するかたわら書きとめ、四季折々に東京都年金受給者協会の会報『とうねんパートナー』「春夏秋冬」欄に発表してきました。これが、本書の副題を「年金暮らし春夏秋冬」とした理由です。本書は、これらの小論を中心に、慶應義塾保険学会ホームページの「保険人萬來」欄ほかに寄稿した小論を薬味として添え、まとめたものですが、本書出版に際し、手を多少加え、時間は前後するが、関連すると思われる写真を添えました。カバーも含め、本書で使用した写真は、すべて筆者が撮影または用意したものです。

まず私なりに考えた「気品とは何か」を、辞書や辞典類を含む他人の著作に頼らず、かつての流行語「独断と偏見」で提示しましょう。

〈気品〉

「精神的成熟（静謐・沈着・冷静・明澄・威儀・威厳・寛容・寛大・鷹揚）」「人生観・死生観・美意識」「知識・知性・教養」「容貌・表情・容姿・姿勢・眼光・視線」「動作・挙措」「言葉遣い・音声」「服装・身だしなみ」「社会的地位・経歴」「教育・修養」「自信・覚悟」などによって醸成され、周囲がそれを感じ取り、尊敬や畏敬や憧憬や賞賛の対象となる「たたずまい」。

本人が意識するしないにかかわらず、自ずとにじみ出て、周囲に漂うその人物に固有の雰囲気。目指して／望んで／努力して得られるものではなく、今や気品を感じさせる日本人は絶滅危惧種並みの稀有の存在になった。「気品」という言葉さえ知らない（若）者が多い、としか考えられないのが昨今の日本。それだけ今の日本（人）には緊張感や規律が欠けている。見方を変えると、一面において日本は非常に平和ともいえるが、日本人の多くが、まやかしの表層的な自由を無邪気に享受し、ハンドル・ネイムや仮名・匿名で無責任に仮初めの自由を楽しんでいるのではなかろうか。

二〇一九年末から始まった新型コロナウイルス騒動下における、科学的な根拠が曖昧で、情緒的でありながら、心のこもらない国家権力による「自粛」要請を受けての「自粛」は、実は「自粛」ではなく、日本人の精神の「萎縮」であり、ポール・ヴァレリーいうところの「精神の危機」（恒川邦夫訳『精神の危機　他十五篇』岩波文庫）の表出だったのではなかろうか。彼はいう。「知識は自由な精神においてしか増大し得ない。自由な精神とは始めから自分に厳しい制約を課すことができる強さを持った人のことである。」ヴァレリーの第二次世界大戦中の言動には批判もあるが、この指摘には全面的に賛意を表したい。

京都大学、東北大学、オックスフォード大学などで武者修行をした、記号論・システム論の専門家で、（元）同僚の森山茂さんは、私が非常な知的刺激を与えられた、その著『ソシュール」名講義を解く！　ヒトの言語の真実を明かそう』（ブイツーソリューション）で、言語論こそは人間存在の本質に関わる「知の原点」にして、その追求は「人間存在の根源」に触れることでもあり、言語論は「学問の根本」をなす、と喝破している。

私は、その分野の専門家ではなく、森山さんほどの深い学識に基づく確信は持てませんが、おそらく地球上で「言語」を操る唯一の生命体であり、知と情をあわせもつ社会経済的存在たる人間の一人であることを常に意識し、言葉に対するこだわりを持って、日本人男子の平均寿命八〇年余に時々刻々近付きつつある人生の後半を生きてきました。こうしたことから、本書は、私の言葉に対するこだわりを、私が長年関わってきた社会科学の視点を基底に据え吐露した書でもあります。

森山さんは、また同書で、「言葉の本質」として、「語の周囲に星雲のように漂う、我々の心の中に持つ（潜在的）差異、そして語間の対立の集合」としての「連合」、具体的には、語の意味イメージ（概念）と音のイメージ（聴覚イメージ）に深く関係し、心的に一瞬にして、団塊のごとく喚起され、形成される「連合」、すなわち「心が結びつける語のグループ」を重視する。あわせて社会性を持った言語体系に則って、本来異質な語同士が互いに「限定」されあい、お互い同士との関係および全体との関係において価値付けられることで、ある意味を持って現出してくる一連の言辞・言葉を「連辞」とし、「連辞・連合関係の『協力』の中で語の価値が決まり、われわれの認識行為が成立している」という。

これ以上簡潔平易に説明することは私の手にあまります。短絡的に過ぎるかもしれませんが、要するに、言葉なくして認識はできない／認識は言葉によってなされる、ということでしょう。そこで、私なりに連合と連辞を解釈し、「気品」の連合の一部として、まず以下に私家版の「気概」ほかの概念を、国語辞典や用語辞典などに頼ることなく、筆者の「独断と偏見」と「局限された個人的な体験」にわずかばかりの社会科学的な知見をまぶして、五十音順に掲げておきます。これに対し、本書の本編「歳歳年年人同じからず」と「あとがきがわりの慷慨」が拡大解釈した連辞です。森山さんから学んだつもりの「言葉の本質」から大きく外れていなければ、幸いです。

〈気概〉

権力者や強者やこれらに迎合する者／支配されている者などからの圧力・弾圧・誹謗・中傷・嫌がらせ・暴力などに屈することなく、自らの信念や信仰や思想などに基づく正義・正論を貫き通す精神的な強さ、志操の堅固さ。

その気になれば、持つことができるが、日ごろの生き方の中で育まれるもので、急に発現することはまれ。その保持は、通常、精神力・気力だけでは難しく、体力や経済力も無関係ではない。正義や論理などに絡んで示されることが多く、その場合は知的な色彩を帯びてくる。

〈気位〉

自意識（の高さ）・自信（の大きさ）と周囲の（社会的な）評価（の低さ）との落差の反映として現われ、程度が過ぎると、周囲の反感や反発を招くが、時と場合によっては、喜劇味を帯びたり、悲喜劇になったりする。

硬直した思考回路しか持たず、社会的適応性に欠ける人物に、気位の高い者が多い。この種の人たちとの付き合いは厄介だが、相手を立て、持ち上げることが苦にならなければ、何かにつけて、感情的で単純な人たちが多く、かえって対応が簡単なこともある。もっぱら自分以外の者（他人）を評して「気位が高い（人）」といういい方をし、「気位が低い（人）」とはいわない。自尊心とほぼ同義だが、自尊心の場合は、（話者自身の）「自尊心を傷つけられた」、（話者以外の他者の）「自尊心が傷ついた」などという。「腰が低い」は「気位が高い」の対義語といってよかろう。

〈気骨〉

気概にほぼ同じ。気概と比べると、内面的な精神性や理知的な側面よりも、外面的な言動や態度や体力などによって判断される。

気骨＝きこつは、気概に比べたとき、知性・論理・思索・思考よりも、精神性や行動性によって示されることが多い。女性に対しては通常使わない。

「きぼね」と読むと、まったく意味が異なり、「気遣い・気苦労・気疲れ」など対人関係における精神的・心理的な負担の意味になり、「気骨＝キボネが折れる」という表現が一般的。

〈気質〉

「人種・民族」「生活環境（地理・地形・気候・職種・職業）」「教育」「遺伝」などによって

形成される、さまざまな思考方法や価値観や行動様式などによって類型化・分類された人びとに共通する特徴。

古くはギリシャ時代に、気質に関して、たとえば、紀元前五―紀元前四世紀の人で、「医学の父」といわれるヒポクラテスが『古い医術について』（小川政恭訳『古い医術について 他八篇』岩波文庫）で論及していることから推測されるように、気質に関する人間の関心には長い歴史がある。その後、精神医学・脳科学・心理学・遺伝子学などに基づく、さまざまな気質の分類がなされているが、いずれも科学的・絶対的なものとはいえない。

「気質」は「カタギ」とも読む。気質（きしつ）と本来は同じ意味だが、長年の体験・経験・修練・修行などによって形成され、身に付く性格・価値観・習性・性向・行動様式などをいう。一般に、さまざまな気質（かたぎ）のうち「職人かたぎ・役者かたぎ」のように、歴史的に下層とみられた職業人の特徴を指す場合に、しばしば賞賛・共感と侮蔑・蔑視がないまぜになって使用される。「昔かたぎ」という場合は、言動が旧弊な人びとに対する共鳴・同情・批判・否定などを表わす。科学技術の発展、生産活動の機械化、学校教育の普及、価値観の変化、居住・移動・営業・職業選択の自由などによって、今日では「かたぎ」を共有する職業集団はほとんど存在しなくなった。

同音でも「堅気＝カタギ」は、ヤクザ・博徒・渡世人・遊び人・香具師（やし）・テキヤや芸妓屋・待合・料理店の三業を生業とする者などに対し、正業に就いている者、地道に働いている者、まじめで律義な者などを指す。前者を「玄人＝クロウト」、後者を「素人＝シロウト」ともいう。今ではほとんど使われなくなった言葉。

〈気風〉

気質（きしつ）同様、「態度、物腰」「言葉遣い」「金銭感覚、金払い」「決断力、潔さ、潔癖さ」「正義感」「同情心、義侠心」「地域性（気候・風土）」などを基準にして、類型化した人びとに共通して見られる性格や性向。

気風（きふう）を「きっぷ」と読むと、少し意味合いが違い、「きっぷ」は個人の性格や性向を表わす。

地域性の稀薄化、階級（階層）意識の衰退などにより、明確な気風の類型化が現代ではしにくくなっている。類型化された気風の一面一部が誇張されると、差別意識や偏見に結びつくことがある。

「きふう（気風）」の発音が和風・口語風に変化した「きっぷ（気風）」は、少し意味合いが違ってくる。「きっぷ」は、「態度、物腰」「言葉遣い」「金銭感覚、金払い」「決断力、潔さ、潔癖さ」「信念」「正義感」「同情心、義侠心」「照れ、恥じらい」「一貫性」などに現れる個人の性格・性向。庶民・町人（商人・職人・芸人など）の規範、価値観、行動様式、生活態度、生き方、などによって判断／区分される。時代の流れとともにあまり使われなくなった言葉だが、今でも「金払いがよい」「気前がよい」ことを「きっぷがよい」という。「いなせ」「粋」「おきゃん」

などは、気風のよさの一面を表わす言葉。

〈品〉

「立ち居振る舞い、物腰」「言葉遣い、話しぶり」「服装」「容貌」などから周囲に与える印象。多くの日本人が意識しなくなってしまった価値観・美意識。

「品」とほとんど同義の少し俗っぽい言葉に「人品骨柄」がある。「上品」「下品」とはいうが、「中品（ちゅうひん）」とは普通いわない。「お上品」は、しばしば揶揄や皮肉の意味を込めて使われる。

「品（しな）」は、品位、品格、品性などとほぼ同義。「品定め」「品下（くだ）る」という表現が一般的。「品上る」とは通常いわない。

「九品（くほん）」は、人や物の等級・段階、たとえば、仏教（浄土宗）における等級（上上、上中、上下、中上、中中、中下、下上、下中、下下）。日常的にはほとんど使うことがない言葉だが、東京では東急大井町線九品仏駅はよく知られている。駅名は、近くにある九品仏（九品山）浄真寺に由来する。上品（じょうひん）／下品（げひん）の語源ともいわれる。

〈品位〉

気品にほぼ同じだが、やや外面的・形式的な要因が強い。今でも「品位を保つ」などのかたちで儀礼的に使われることがあるが、多くの人びとの価値観や生活意識から「品位」という要素はほぼ消え去っている。そうしたところに、「皇族としての品位保持の資に充てるための」皇族費が多くの人びとの関心を呼ぶ事件？・醜聞？が降って湧き、「品位とは何か」が今問われている。

「品位」は、古い時代の中国や日本での位階。現代ではほとんど使われることがない言葉。「品位」に「ほんい」という読み方があることを知る者は少ないであろう。圧倒的多数は、「ほんい」といえば、ためらうことなく「本位」を思い浮かべるであろう。「翻意」を思い浮べる者も少しはいるかもしれない。

〈品格〉

品位にほぼ同じ。

藤原正彦さんの『国家の品格』（新潮新書）がベスト・セラーになったのに続き、坂東眞理子さんの『女性の品格　装いから生き方まで』『親の品格』（ＰＨＰ新書）が話題を集めるなど、一時期「品格」が流行語にもなったが、これによって日本人の品格が向上することはなく、むしろ日本人、とりわけ政治家の品格は年々下がり、その資質が劣化してきている。

〈品行〉

道徳的・社会的な規範や慣例から見ての生活態度や行動などを指し、多分に世俗的な見方。

品行方正は、人物評価・人物紹介においてよく使われる、多くの場合、内容・実質を伴わない、形式的かつ無責任な褒め言葉の典型。品行不良ともいうが、素行不良のほうが一般的かもしれない。

〈品質〉

品物・商品や機械・器具などの材質や性能の良し悪し。

規格化・客観化された基準だが、さまざまな分野で、ごまかし（偽装、改竄、捏造など）が横行している。高品質とはいうが、低品質とは通常いわない。良質・悪質とはいうが、中質とはいわない。

〈品性〉

内面性や精神性に関わる資質や性向で、「言動」や「顔貌」などに現われ、隠したり、ごまかしたりすることができない。

品性は顔に現れるとすれば、たびたびメディアに登場する、時を得顔の著名人諸氏の目つきの悪さ暗さ、顔つき表情の醜怪さ軽薄さは、すさまじい。これらの人物が各分野における現代日本のある種の代表者であるとすれば、日本の先行きに希望を持つことは困難。いつの間にか品性高潔な人物を探すことが難しくなり、政治家を筆頭に、品性下劣な人物がもてはやされ、溢れかえる世の中になってしまった。その責任は、筆者自身を含む日本人そのものにある。

〈風格〉

気品に似ているが、精神性・内面性や知的な要素などよりも、外面的な要素、たとえば、容貌・容姿・体型・体格などによって判断されがち。

小柄な人物よりも大柄な人物のほうに風格があるように見えることが多いが、世間には見かけ倒しが少なくない。風格を感じさせる人物は、大きい声よりも小さくてよく通る声、高い声よりも低い声で、淡々と／訥々と／飄々と話す。

「まえがきがわり」が長くなりました。本書は、「揺るぎない内からの気品」からは程遠い、一寸の虫でも持っているであろう程度の、筆者が考える気品の連合の一つ「気概」の「亜種」—昨今の流行語でいえば「変異株」—ともいえる「瘠我慢」と「抵抗・批判の精神」の発露であり、少々「へそ曲がり」の自称「自由人」の作物です。作物といっても、むろん農作物・食物ではありません。田地田畑をもたない筆者には「晴耕」などありえず、むろん播種も収穫もありません。しかし、季節昼夜晴雨にかかわらず、金をかけず、考えることならばできます。こうしたことから、書名を「晴耕雨読」とせず、「晴考雨読」としましたが、下手の考え休むに似たり、といったところかもしれません。

それでも、本書が、混迷の二一世紀に生きる同時代人諸氏の多くが関わり合っているであろう「常識・通念・通説・世論・俗論・先入観・思い込み」などと、これらの連合と筆者が考える「伝統・守旧・保守・盲信・俗流・慣習・迎合・無批判・無抵抗・無関心・多数派・付和雷同・ことなかれ・しきたり」などとは異なるものの見方があるのではないか、という程度の問題提起となり、読者諸氏に何がしかの知的刺激を与え、発想の転換を促す契機になれば、ほとんど日が暮れて、なお道遠しの筆者にとり、望外の喜びです。

# 歳歳年年人同じからず

ほどほどによく働き　楽しい挑戦もした　知命と耳順の谷間の50代

耳順を過ぎ　聴力と視力が急激に減退した60代

**過去を追いゆくことなかれ　未来を願いゆくことなかれ**
**過去は過ぎ去りしもの　未来は未だ来ぬものゆえに**

片山一良訳『パーリ仏典〈第一期〉六　中部（マッジマ・ニカーヤ）後分五十経篇Ⅱ』大蔵出版、2002年

**〈卑見〉**

その日その日、何とか命をつなぐことだけを考えなければならない1日1ドル（100円余り）にも満たない所得での暮らしを強いられている最貧国の人びとにとって、この教えは自明のことであろうが、豊かな社会に生きる私たちは、過去を振り返り、現在をみつめて、未来を展望しなくてはならない。

**人生の年月は七十年程のものです。健やかな人が八十年を数えても得るところは労苦と災いにすぎません。**

共同訳聖書実行委員会訳『聖書 新共同訳―旧約聖書続編つき―』日本聖書協会、1987年

**〈卑見〉**

神と違い、全知全能ならざる人間にとって、公害問題の先駆者・田中正造翁が好んで揮毫した、という言葉「辛酸入佳境 楽亦在其中」の境地に達することは容易ではない。

**かりそめの現世の生をものの譬えで説こうなら、天から我らの降らす水のごときものか。その（雨水）に、人間や家畜の食い物となる地上の草木がよく混じて、そのうち大地は色とりどりの装いをこらして目もあやなす美しさ。そこに住む（人間ども）は、これでついに（大地）を完全に支配したと思いこむ。と、その時、突然我らの命令が夜に、また昼にふりかかって、遂に（あたりは）一面の刈入れの跡と変じ、昨日までのあの盛んな面影はどこへやらということになる。**

井筒俊彦訳『コーラン　上』岩波文庫、2002年

**〈卑見〉**

混迷の時代に、「神」をこしらえた人間は賢かったが、自らが創り出した、その「神」によって支配されたり、惑わされたりする人間が、果たして真に賢いといえるか、どうか。

## 二〇〇九年夏　軽老

このところ年金生活者にとっては厳しさが身にしみる社会保障制度改革―本音は改悪といいたいところ―が続いています。高齢者諸氏の生活事情はさまざまでしょうが、年金が暮らしを支える柱になっている、ということで、おそらく大方の皆さんの関心・利害は一致しているはずです。近年の「軽老」の流れを変えるには、年金生活者自らの社会保障関連問題への主体的な取り組み、まずは年金生活者の立場からの積極的な発言・情報発信が不可欠です。

高齢者・退職者は、しばしば社会的弱者とみなされ、たとえば、電車やバスなどには優先席が設けられて、一見、守られているようでもありますが、しばしば優先席は若者・壮者に占拠されており、「敬老」にはほど遠い状態です。

でも、嘆いているだけ、ぼやいているだけでは、何も変わりません。健康・体力が減退し、労働による稼得も困難になってくるなど、個人差があるとはいえ、残念ながら、加齢にともなう衰えは誰にでもやってきます。しかし、長く生きてきた者には「知恵」があります。この「知恵」を有効に活用できれば、少なくとも高齢者・退職者が社会における自らの立場を確保する一助にはなるはずです。それぞれが、これまでの人生で蓄えてきた「知恵」の棚卸しを行って、インターネット社会で忘れられがちな、しかし価値ある、これはと思われる知識や熟練などを

〈葦でさえなかった頃の筆者―この頃の記憶は何もないが、この小さな籐椅子を小学校入学前まで使っていた：1946年初夏？〉

持ち寄り、その活用法を、叡智を、結集して考えてみてはどうでしょう。都道府県単位で組織されている年金（受給者）協会などは、そのための格好の「場」といえそうです。

　若者・子どもは将来の社会の担い手であり、よくもわるくも少子化が進んでいる今、若い世代を社会全体で大切に育てていかなければならないことはいうまでもありませんし、おさない子どもたちは弱者といえるでしょうから、社会問題化しつつある児童虐待などもってのほかで、保護されるべき存在でもあります。が、それにしても、子ども（孫）に甘すぎる、子どもをしからない／しかることができない親（祖父母）が多すぎるように感じられるのは、私だけでしょうか。「人間はひとくきの葦にすぎない。自然のうちで最もか弱いものである、だが、それは考える葦である。」（前田陽一・由木康訳『パンセ』中公文庫）で知られるブレーズ・パスカルは、その著『愛の情念』（津田穣訳、角川文庫）の中で次のように述べています。「人はその一生を、人がこの世へ生まれてきた最初の年から数える。私なら、理性が誕生して、理性によってゆり動かされはじめたときからしか、数えたくない。そういうことは普通二〇歳前には起こらないものである。この時期以前には、人は子どもである。子どもは人間ではない。」

このように考えることができるとすれば、子どもの育て方、扱い方も、かなり違ってきそうです。一九九〇年代の半ばに一度だけしか訪れたことがないオーストラリアですが、電車に次のような趣旨の掲示が出ていたことが非常に印象的でした。

「子どもは一人前の料金を払っていないので、座ってはいけません。大人に席を譲りなさい。起っていなさい。」

高齢者にはやさしく！

子どもにはきびしく！

## 二〇〇九年秋　地震雷火事ダメ親父

地震雷火事親父。かつて人びとが恐がったものを順に並べると、こうなります。防災関係の科学技術が驚異的な発展を続けてはいますが、首都圏では多くの人びとが、防ぎようがない地震の危険にさらされて暮らしています。地震関連の商品がいろいろ売り出されてはいても、いずれも焼け石に水程度の効果しかなさそうで、大地震になれば、わが家などはお手上げで、被害が最小限ですむことを祈るばかりです。

それに比べて、雷は、ときに人を直撃して、命を奪ったり、火災の原因になったり、通信網や交通網を切断して混乱を引き起こしたりするものの、避雷針の普及と避難法の浸透で、その恐さが日本では激減しました。ご存知の方も多いでしょうが、避雷針を発明したのはベンジャミン・フランクリン（一七〇六―一七九〇年）。彼はマルチ人間のはしりで、生涯現役の政治家、事業家、社会改良家、教育者、経済学者、科学者にして、文筆家。正岡子規が病床で愛読した彼の『自伝』（松本慎一ほか訳、岩波文庫）の付録には、こうあります。「できるあいだに老後と不時にそなえよ、朝日は一日じゅう照っているわけではなし。」年金を受給するようになってからでは、いくら寿命が延び、生涯現役を標榜する元気高齢者が増えてきているとはいっても、「老後」の備えにはおそいので、せめて「不時」の備えだけでも心がけておきたいものですが、それだって先立つものは××ということになり、簡単にはいきそうもありません。

フランクリンは、「消火をいっそう速やかにし、危険に陥った場合にはお互いに協力して荷物を運んで安全にすることを目的にする」消防組合もつくっています。むろん、フランクリンの時代から二〇〇年以上が経過した今では、消火に関連するさまざまな技術や施設などが発達し、かつてのような大火は発生しなくなりましたが、それでも、火災は、まだまだ恐ろしい身近な危険です。二〇〇八年版の総務省消防庁『消防白書』によると、住宅火災による死者数は、二〇〇三年以降五年連続して一〇〇〇人を超える、かつてない高い水準で推移し、その約六割が六五歳以上の高齢者であることから、高齢化の進展にあわせて、今後さらにその数が増加することが懸念されています。皆さん、ご用心ください。

地震雷火事とは対照的に、疲労困憊、権威失墜の果てに、「粗大ゴミ」「濡れ落ち葉」扱いされがちなのが昨今の親父連です。テレビのコマーシャルで、子犬にメロメロのパパあたりまではまだしも、ついにパパは犬にされてしまいましたぞ。あの家族の子どもたちは、犬のパパと人間のママの間にできたのでしょうか？

もしそうであるならば、生物学的にはいうまでもなく、倫理的・宗教的にも大問題です。今の日本、「やさしさ」をはきちがえているパパが多すぎませんか。ハードボイルド派の旗手レイモンド・チャンドラーが世に送り出したタフな探偵フィリップ・マーロウは、『プレイバック』（清水俊二訳、ハヤカワ・ミステリ文庫）で、確かに「やさしくなれなかったら、生きている資格がない」といってはいますが、その前に「しっかりしていなかったら、生きていられない」と明言していますよ。

四半世紀前にイギリスのオックスフォードで暮らしていたときに、手ごろなホテル・民宿（ビー・アンド・ビー）情報満載で重宝した、英国自動車協会発行の『会員用ハンドブック一九八四／八五』掲載のかなりの宿泊施設で、犬や子ども（年齢制限アリ）お断り。むろん、高齢者お断りは皆無。筋金入りの福祉社会は毅然としている！

# 二〇一〇年冬　寅虎トラ

また寅年がめぐってきました。一九五〇（昭和二五）年生まれの人たちが、今年、還暦を迎えることになり、数年後には私たち年金受給者の仲間入りをします。そうなると、保険料を払う立場から年金を受け取る立場になります。さて、彼ら彼女たちの何がどう変るか。とても興味深いですね。

六〇歳といえば、中国の聖人？孔子は『論語』の中で「六十而耳順（ろくじゅうにしてみみしたごう）」といっています。ここからきた耳順は、還暦ほど一般的ではありませんが、六〇歳の異称でもあります。その意味するところは、次のとおりです。「自己と異なる説を聞いても、反撥を感じなくなる。それらの説にも、それぞれ存在理由があることを感得するようになる。人間の生活の多様性を認識し、むやみに反撥しないだけの、心の余裕がある。」（吉川幸次郎『中国古典選　3　論語（上）』朝日新聞社文庫。以下の『論語』に関連する記述は同様。）

六〇歳を迎えると、こうならなくてはならないのでしょうが、とっくに還暦・耳順をすぎた今も、私の場合は、なかなかこうはいかず、しょっちゅう周囲に波風を立てています。

また、寅といえば虎。『論語』には「暴虎馮河（ぼうこひょうが）、死而無悔者（ししてくいなきものは）、吾不與也（われはともにせざるなり）」という一文もあります。大意は、虎に素手で立ち向かったり、大河を徒歩で渡ったりするような、無鉄砲な勇気や、まかり間違えば、命さえ投げ出せば、いい、というような生き方をする人間と行動を共にすることはできない、といったところです。

国民栄誉賞受賞のフーテンの寅さんにも、暴虎馮河の傾向がみられましたが、根は臆病で、善人の彼のこと、周囲にさざ波を立てはしても、大事にいたりません。家族・隣人・知人が、ちょっとした迷惑をこうむる程度で、一件落着。こうしたトラは、張子の虎、といったところで、愛嬌もあります。またか！　しょうがないなあ。コラ～トラ！　困るのは、お酒が入ると、やたら元気が出て、くどくなるトラ。ひどいのになると、酒を飲んで車を運転し、挙句の果てに事故を起こし、他人を傷つけ、ときに自分も家族も傷つけることになる。現代版の暴虎馮河型の

〈2010年にインドのデリーで開催のイギリス連邦競技大会（Commonwealth Games）を宣伝するためにバスの車体に描かれた、胸？腹？に DELHI 2010のシャツを着たトラ：2007年 1月〉

〈日本大学豊山高等学校における講演会でのダライ・ラマ法王と筆者：2008年5月〉

人間、といったところでしょうか。いくら寅年とはいっても、この種のトラは願い下げにしたいものです。

イギリスには、車を運転しなければ、行けない田園地帯(カントリー)に魅力的なパブ（居酒屋）がたくさんあるせいか、死亡事故の約三分の一は飲酒が原因で発生しています。イギリスでは、呼気一〇〇ミリリットル中のアルコール含有量が三五マイクログラムを超えなければ、運転可能で、酒気帯び運転はアタリマエ。イギリスもけっこう恐い国なのです。

寅→虎→トラとくると、私が生まれる以前のことですが、トラトラトラ《我奇襲ニ成功セリ》の「真珠湾攻撃」に触れないわけにはいきません。これで日米が全面的な戦争に突入しました。アメリカ・イギリス・中国・オランダ（ＡＢＣＤ）を敵に回しての戦争は、かりにやむにやまれぬ事情があったにしても、暴虎馮河の類であった、といわざるをえません。ダライ・ラマ一四世はいいます。「和解の精神で争いを解決し、常に相手の利益を考慮するようにしなければなりません。……（中略）……非暴力こそ適切な方法です。」（ダライ・ラマ『世界平和のために』ハルキ文庫）。

兵力があまりにも違い過ぎた。兵員は、一五対一、あるいは二〇対一だというのである。兵器弾薬の差はもっと大きく開いていた。日本軍が一発撃つと、五〇発も一〇〇発もお返しが来る。空も完全に制圧されており、どうにも勝ち目のない状況の中で、日本軍は、飢えながら戦ったのである（古山高麗雄『断作戦』文春文庫）。

時代錯誤の軍備拡張論者もいますが、戦争は絶対悪です。寅年の戦いは、王者＝タイガー・ウッズ対王子＝石川遼や伝統のタイガース対ジャイアンツを、ビール片手に、テレビで楽しみましょう。今年一年が平和でありますように。

## 二〇一〇年春　桜

花は盛りに、月は隈なきをのみ、見るものかは―どこかで、耳にしたような、目にしたような言葉ですが、思い出すことができますでしょうか。卜部（吉田）兼好の『徒然草』第一三七段の書き出しです。西尾実・安良岡康作校注『新訂　徒然草』（岩波文庫）での現代語

〈西日本有数の桜の名所として知られ、石垣が見事な故郷の城址（上）／「根性」と「けつバット」―臀部を野球のバットで思い切りひっぱたく一種のしごきで、旧・帝國海軍の精神注入棒の名残りともいえる蛮行―で明け暮れていた中学生の頃の晩秋から早春、1日にダッシュとうさぎ跳び各30－50本の上り下りをした城址の石段（下）〉

訳では、こうなります（『徒然草』についての引用は以下同様）。「桜の花は、真っ盛りに咲いているのだけを、月は、かげりもなく照り輝いているのだけを、見て賞美するものであろうか。」むろん、そうではありませんね。紅顔の美少年時代、今の私よりは若かったはずの古文の先生が、年寄りくさくて、覇気がなく、授業がイヤでイヤでたまらず、よくサボっていました。

それが、いつのころからか『枕草子』や『方丈記』などとともに『徒然草』を手にし、勝手な解釈を施して、古文も実は結構面白かったのだ、と思うようになりました。これらを繙くと、個人差はあるでしょうが、私自身を含め、今では多くの日本人が大方失ってしまった感性や人生観などがあふれていて、不思議なことに、理屈を超えた、何かが、どこかに響いてきます。年金を受給するようになると、どう頑張ってみても、咲き誇る桜花とも、照り輝く月とも、いえませんが、兼好法師は、「この枝、かの枝散りにけり。今は見所なし」などという輩は、「かたくなな人」つまり「無風流な人」「桜花の情趣を解せぬ人」といっています。人の一生についても、こうした兼好さんのような見方があってよいのではないでしょうか。

今、年金受給年齢に達している人たちの多くは、日本が敗戦の痛手にあえいでいた時期から高度経済成長期を経て、有数の経済大国として再生するまでを支えてきた、いうならば功労者たちです。この間に失敗をしたり、間違いを犯したりしたことがなかった、とはいえないにしても、今日の日本の豊かさは、今、年金によって暮らしている人びとの奮闘努力の賜物なのです。「年金損得論」などを唱えるお方には、「転合（てんごう）も戯言（たわごと）もほどほどになさってください」と申し上げたいところです。

若年層代表のような顔をして論陣を張っている皆さんに藤原義孝の次の歌をお贈りします。

朝（あした）に紅顔あって 世路（せいろ）に誇れども 暮（ゆうべ）に白骨となって 郊原に朽ちぬ

藤原公任（川口久雄全訳注）『和漢朗詠集』講談社学術文庫

良寛さんも、また「散る桜 残る桜も 散る桜」と詠み、特攻に散華した先人の心情もこれだったとか。

海の向こうでは、ホログラフィ（三次元画像を記録し再生する技術）の発明者で、一九七一年にノーベル物理学賞を受賞したデニス・ガボールが、『成熟社会』（林雄二郎訳、講談社）の中で次のように述べています。「遊戯というものは、「まじめなもの」ではないけれど、まじめに行うことはできる。それは……（中略）……物を生産したり、防衛したり、物質的な功績を残したりする生活ではないけれども、しばしば、人々が「現実の生活」に費やすよりも、多くの勤勉さや勇気や野心を必要とするものである。……（中略）……「現実の」厳しい生活に比べて、ほんの少しの参加を要求されるだけで、能動的に、あるいは受動的にまた観客として代行的に楽しむことができる。」

効率本位の民営化が進む中で、高齢者が気楽に利用できる施設が減ってきています。遊ぶことを知らなかった、遊ぶ暇がなかった世代が、一仕事も、二仕事もした後、束の間の安息を得て、ささやかな「遊戯」を楽しむことさえできない社会は、どこか狂っています。日本人の美徳といわれてきた勤勉さ。それを引き継いできた最後の世代かもしれない我ら。今後のことは白け浮かれた若い世代に任せて、我らは、人気長寿テレビ番組「笑点」でボケまくる林家木久扇師匠にでも手ほどきをお願いし、「長屋の花見」式暮らし方の習得にでも努めますか。

## 二〇一〇年夏　水遊び

尋常小学校・国民学校で学んだ世代ではありませんが、文部省唱歌「故郷」の出だし「兎追ひし彼の山……」を「兎の肉はおいしいのだろうか」などと考えながら歌い育った、おそらく最後の世代に私は属します。

この春、数十年ぶりに小学校の同期会に出席しました。私の幼馴染みの大多数は、団塊の世代の少し上で、「産めよ増やせよ」の当時としては出生数が少なかった、あの歴史的な玉音放送があった年に生まれています。そのせいもあってか、私は、いわゆる体育会系の感性を備えながら、飛び切りの平和主義者にして、議論や論争が大好きな軟弱の徒、という矛盾だらけの人間に育ち、気が付けば、近親や友人などとの別れが、少しずつ増えてくる年齢になり、一日一日を大切に、と思いながら、易きに付いて、ついつい惰性に流される毎日をすごしています。

〈中国山地に抱かれた筆者の故郷：2010年8月〉

もう少し若かったころの暮らしぶりには、メリハリがあったように思います。たとえば、以前は、毎年八月を「戦記・戦争小説」を集中的に読む月と定め、戦争の残酷さ悲惨さや愚劣さと平和の大切さを考えることにしていたのですが、近年はすっかり怠け癖が付いてしまいました。

もともとあまり勤勉ではなく、小学校低学年のころから怠け癖が募り、夏休みの宿題の「絵日記」を一週間分まとめて書いたり、「夏休みの友」を八月三一日になって片付けたり、といった調子でしたから、年齢のせいで、急に怠け者になったわけではありません。数え切れないほど反省はしてきました。でも一向に改まりません。それでいて、この時期、普天間に象徴される沖縄問題を考えるたびに、なんとも後ろめたい思いに駆られます。沖縄には、いまだに足を踏み入れたことがありません。今後も沖縄だけは訪問できそうもありません。

ところで、子どものころの夏休みの思い出といえば、何といっても水遊びです。川での水泳と魚とりに夢中になっていた、あのころ。俳句はたしなみませんが、手許にある一九七四年発行の角川書店編『合本 俳句歳時記　新版』を繰っていると、こんな句に出会いました。川島暖光の有名な句のようです。このとおりの毎日を過ごしていましたから、妙に共感を覚えました。

叱られて尚水遊びあきらめず

私の故郷は中国山地の裾に開けた盆地で、瀬戸内海とも日本海とも遠く隔たっていながら、戦国時代に水軍の兵法として生まれた、と伝えられる古式泳法・神伝流が幕末に伊予（愛媛県）の大洲藩から伝わり、その精神と技が今も引き継がれ、幼馴染みの一人「ヨッチャン」こと井上善博君は、いずれその宗師になるべき人物と目されています（二〇一三年一二月、病のため宗師にならずして逝去）。私が子どものころに到達したのは、その初歩の段階で、これを「真（しん）」と称します。神伝流津山游泳会「指導者の基礎知識（平成二年八月）」では、次のように解説されています。「神伝流基本泳法の一つ。すなおに折り目正しく、美しく。一番代表的な泳ぎ方で、この泳ぎから習い始める。この泳ぎ方が立派に泳げたら、泳ぎの志が達せられたとも言われている。」

東京でも一八七九（明治一二）年に隅田川に水練場が設けられて、神伝流が指導されたようですし、その後も、東京帝国大学、第一高等学校、東京府第一中学校（現・都立日比谷高等学校）、などで教えられたようです。

私とは違って、神伝流免許皆伝にして、『哲学以前』ほかの著書で一世を風靡した、郷里の先輩である哲学者・出隆（いでたかし）博士は、「泳ぎの達人というのは、水の自然に従って自然の上に浮かび出る者のことである」と喝破しています（出隆「水泳漫談」『出隆著作集　第3巻　エッセー』勁草書房）。出先生の生き方が自然に従って自然の上に浮かび出たものであったかどうかは別にして、老後は、肩の力を抜き、自然に逆らわないで、心豊かに暮らしたいものです。

## 二〇一〇年秋　祭りだ　ワッショイ

実りの秋、食欲の秋、芸術の秋、読書の秋、スポーツの秋、行楽の秋。日本の秋は何をするにも快適な季節です。そして各地でさまざまな祭りを楽しむことができるのも、やはり秋です。諸橋轍次ほか『広漢和辞典　中巻』（大修館書店）によると、「祭」は「神や先祖を物を供えてまつる」こととあります。全国各地の神社のお祭りは、まさにこれですが、私たちは、こうし

〈筆者の故郷の作州・津山の鎮守・徳守神社の大神輿：日本三大神輿の1つとされ、重さ300貫（約1トン）、かつぎ手は交代要員を含め総勢170名〉

た本来の祭りとは少し違った祭りを、年中いたるところで楽しむことができます。日本人は本当に祭り好きです。思いつくままに挙げてみます。

タケノコ祭り、サクランボ祭り、スイカ祭り、ブドウ祭り、ナシ祭り、クリ祭り、キノコ祭り、リンゴ祭り、キャベツ祭り、ダイコン祭り、レンコン祭り、コンニャク祭り、トウフ祭り、サンマ祭り、カツオ祭り、マグロ祭り。私の知らない、おいしい祭りが、まだまだありそうです。

文芸・スポーツに関連する祭りにも、文化庁主催の芸術祭を筆頭に、各種の映画祭、音楽祭、演劇祭、文化祭、体育祭、学園祭、大学祭、古本祭り、などがあり、それぞれに前夜祭・後夜祭があったりもします。

季節感豊かで、目を楽しませてくれる祭

りの数々。流氷祭り、雪祭りあたりに始まり、梅祭り、椿祭り、桜祭り、躑躅祭り、藤祭り、菖蒲祭り、牡丹祭り、紫陽花祭り、鈴蘭祭り、薔薇祭り、七夕祭り、朝顔祭り、花火祭り、菊祭り、薄祭り、紅葉祭り、など目白押しです。花祭りは、名前は花でも、これらとはいささか趣が異なります。かわいらしいところでは雛祭りもあります。

地域色豊かなものとしては、各地の港で行われる港祭りがあります。東京限定では、大銀座祭り、ふるさと祭り東京、東京大マラソン祭り、などがありますが、豪華空疎、大規模大空費。その一方で、歴史的事実としては、マリ・アントワネットほかがギロチンで血祭りに上げられた血腥いフランス革命が勃発した日である（一七八九年）七月一四日を、なぜか巴里祭と称して楽しむ日本人もいます。少しおかしくありませんか。

おかしいといえば、このところ不祥事が続出している日本相撲協会にも困ったものですが、大相撲の本場所開催前には土俵祭りという神事が執り行われます。神聖な土俵は、いまだに女人禁制です。それほどまでに神聖な土俵ならば、土俵に上がる力士や親方などは、もっともっと身を慎み、自己規制することが必要でしょう。後の祭りにならないうちに。

商魂たくましい企業が、固い消費者の財布のひもを緩めさせるための感謝祭＝大売り出し・大安売りを季節の節目で行うようになったのは、いつのころからなのでしょう。大安売りは大歓迎ですが、百貨店やスーパーなどで買い物をして、その会社はむろんのこと、店員さんが心底感謝してくれている、と実感できたことはありませんね。年金暮らしの身としては、口先だけの感謝ならしていただかなくて結構ですから、年間通じて、安くて良い品を提供していただきたいですね。

まじめで厳粛な祭りもあります。最近では死語になりましたが、かつてメイ・デイは労働祭ともいわれていました。一般にはあまり知られていない解剖祭という遺体を解剖に付した人のための慰霊祭もあります。

ところで、物知りのお方に教えていただきたいのですが、祭りの掛け声が「ワッショイ」から「ソイヤ」に変わったのは、いつ頃のことなのでしょう。「粗衣や・疎意や・疎嫌・疎厭」なんて景気の悪い掛け声は聞きたくありませんから、いつしか祭りから足が遠のきました。氏子総代や頭（かしら）の皆さん、何とかならないものですか。昭和の天才歌姫・美空ひばりの名曲、原六朗作詞・作曲の「お祭りマンボ」で元気が出るのも「ワッショイワッショイ」だからで、「ソイヤソイヤ」じゃダメでしょう。

## 二〇一〇年白秋　絵は口ほどにものをいう

厚生労働省編『厚生労働白書』二〇一〇年版が面白い。長妻昭大臣は、何か勘違いをしていらっしゃったのか、残暑厳しい折に刊行されたとはいえ、自ら執筆されたであろう序文「厚生労働省改革元年　参加型社会保障（プジティブ・ウェルフェア）へ」に、ネクタイなしの姿の写真を添付していらっしゃる。刊行は残暑の時期であるにしても、『厚生労働白書』は、日本国の厚生労働行政に関わる、もっとも代表的な、国民・市民向けの、文書であり、今後も長きにわたって閲覧利用され、永久に保存されるものである。くだけた格好をしたからといって、「生活者の立場」「国民目線」に立つことになるわけでも、国民・市民に対する親愛の情を表わすことになるわけでもなく、むしろ生活者たる国民・市民を見下げた態度ともとれる。何しろ本文中の次の写真では、長妻大臣は、いずれもきっちりネクタイと、ほとんどの場合に上着を着用されているのであるから。

・厚生労働省「若手プロジェクトチーム」発足式（七〇ページ）
・官邸における新型インフルエンザ対策本部での記者会見（一一一ページ）
・第3回日中韓三国保健大臣会議（一一八ページ）
・「イクメンプロジェクト」発足式（一九四―一九五ページ）
・がん対策推進協議会会長からの提案書の受け取り（二二四ページ）
・安全帽を着用しての大規模建設現場での労働災害防止の確認（二九〇ページ）
・日中食品安全推進イニシアチブ覚書署名式（三七八ページ）

ネクタイなしの写真は、上述の序文、「みんな」の年金意見交換会（八〇ページ）、東京都内の認可保育園で子ども達と一緒に給食（一八〇ページ）だけである。長妻（前）大臣は、『白書』を、そして「国民の立場」「国民目線」を、どのようにお考えだったのだろうか。首をかしげざるをえない。本来、『白書』に、こうした類の写真を掲載する必要などない。

ダメ押しをするならば、『白書』は「少子社会の現状」の「全体像のイメージ」を人口ピラミッドの変化として図示しているが、これもずい分おかしい（一七五―一七六ページ）。一九九〇年は、戸板？の上に一人の男性高齢者（六五歳以上）が杖を突いて立ち、これを五人（五・一人）の現役世代（二〇―六四歳：男性三人、女性二人）が支えている図。現在（二〇〇五年）は、一人の男性高齢者を三人の現役世代（男性二人、女性一人）が「騎馬」に乗せている「騎馬戦型」として、二〇五五年は、一人の男性高齢者を一人（一・二人）の現役男性が肩車している「肩車型」として、それぞれ図示している。

〈「作って遊べる！ かわいい　厚生労働カルタ」が付録についている平成22（2010）年版の『厚生労働白書』〉

（一）現役世代によって担がれているのは、なぜ男性だけなのか？女性の平均寿命は男性よりもはるかに長いのではないか。二〇五五年には、平均寿命についての男女間格差は一段と拡大し、女性の高齢者が圧倒的に多くなり、担がれるのは、男性以上に女性になるのではないか?

（二）担ぎ手の性別割合において、三つの図すべてにおいて、なぜ男性のほうが多いのか。二〇五五年にいたっては、担がれているほうも、担いでいるほうも全員男性になっている。「参加型社会保障」をうたいながら、未来の日本では、女性が高齢者を支えることはないのか。過去においても、男性に負けず劣らず、否、男性以上に高齢者を支えてきたのは女性ではなかったのか?

（三）なるほど高齢期を迎えると、男女を問わず、さまざまな意味で社会によって支えられることが多くなるであろうが、およそすべての高齢者の過去における現役時代の働きがあって、今（二〇世紀末から二一世紀初頭）の現役世代はその幼少期から豊かな生活を享受できたのではないか? 長妻（前）大臣自身も、その一人ではないだろうか? 高齢者は、断じて支えられるだけの存在ではない。高齢者の過去における社会経済的な貢献を、しっかり評価することなく、もっぱら支えられる集団として高齢者をとらえることは適切でなく、不公平でさえある。

（四）なるほど「少子社会」といわれるほどに子どもの数は少なくなってきているが、現役世代は、この子どもたちも支えている。どのような時代、社会であろうと、子どもは大人に支えられて成長する。長妻（前）大臣自身も、間違いなくその一人であったはずだ。その政策的な効果についての評価は別にして、「子ども手当」一つを取り上げても、子どもが、大人すなわち社会によって支えられていることは、自明の理であり、ライフ・サイクル論の常識である。「少す社会の現状」というからには、大切に育てられているはずの子どもに対する、教育を含むさまざまな局面での社会的・政策的な配慮についても取り上げ、しっかり図示すべきではないのか？

経済学の始祖とされるアダム・スミスは哲学者でもあったが、その著『道徳感情論』（水田洋訳、筑摩書房）で、高齢者と子どもとの相対的な関係について、次のように述べている。「物事の自然状態において、子どもの生存は、子どもがこの世に生まれてきて、しばらくは、まったく親による保護に依存している。親の生存は、当然ながら子どもによる保護に依存するわけではない。自然の目から見れば、子どもは、老人よりも重要な対象であり、はるかに普遍的であるとともに、生き生きした同情をかきたてるようである。子どもは、そうあるべきである。あらゆることを子どもには期待しうるし、少なくとも希望しうる。……（中略）……子ども時代の弱さは、もっとも残忍冷酷な心の人間の愛情にさえ働きかける。老人の病弱さが、軽蔑と嫌悪の対象でないのは、有徳で人情ある人びとにとってだけである。……（中略）……通常の場合には、老人は、誰にも大いに惜しまれることなく死ぬ。滅多に子どもが、誰かの心を引き裂くことなく死ぬことはない。」

## 二〇一一年冬　うさぎに学ぶ

今年は卯年ということで、ウサギにまつわる言葉や故事などを調べましたところ、とても勉強になりました。その一端をお屠蘇気分でご披露します。

いま世界でもっとも人気があるウサギはピーター・ラビットのようです。皆さんのなかにも彼の故郷イギリスの湖水地方を旅行された方が、きっといらっしゃるでしょう。でもおそらく彼の誕生日はご存じないでしょう。彼の誕生日は一八九三年九月三日だそうです。昨年（二〇一〇年）は、幻の超高齢者続出で大騒ぎになりましたが、彼は、これからも元気に生き続けて、きっと泉重千代さんの長寿記録一二〇歳を更新し続けることでしょう。

私たち年金受給世代が子どものころから知っている兎が主人公の物語といえば、「因幡の白兎」「かちかち山」「ウサギとカメ」あたり。

「因幡の白兎」のお話は『古事記』の上巻に出ていて、ウサギの古語は「ウ」だったそうです（山中襄太『語源十二支物語』大修館書店）。因幡は今の鳥取県です。この兎、なかなか頭がよいのですが、少し粗忽者で、いわずもがなのことを口にして、最後にしくじり、大国主（大黒様）に救われます。よかった！でもウソをついてはダメ、何事も最後まで気を抜いてはダメ、神様の中にも意地悪がいるから盲信してはダメ、ということですね。

〈1770年創設のオックスフォードの屋根付き商店街（The Covered Market）の肉屋の店頭にぶら下がっていた野？ウサギ：2005年3月〉

お伽話「かちかち山」では、知恵者の兎が老人をいじめた狸を懲らしめます。残酷な場面が出てくるため、しばしば子ども向けに改作されていますが、近頃の振り込め詐欺などもってのほか、高齢者を大切にしないと、天罰覿面、という教訓です。山梨県河口湖畔にある天上山が「かちかち山」の舞台ともいわれ、太宰治の『お伽草紙・新釈諸国噺』（岩波文庫）所収の「カチカチ山」は大人の残酷童話仕立てです。

「ウサギとカメ」のお話は、古代ギリシャの奴隷哲学者イソップ（アイソポス）の作とされる寓話集、いわゆる『イソップ寓話集』に出てきますが、原題は「カメとウサギ」です。いくら能力才能があっても、努力を怠ったり、まじめに取り組まなかったりすると、失敗する、というよく知られた戒めです。

『イソップ寓話集』が初めて日本に紹介されたのは一五九三年―ピーター・ラビット誕生の丁度三〇〇年前―のことで、江戸時代には、さまざまな体裁で『伊曾保物語』として出版され、今も多くの人びとに読み継がれています。子ども向けの読み物と考えていらっしゃるお方が多いかもしれませんが、けっしてそうではありません。とても鋭い人間観察がなされています。たとえば、中務哲郎訳『イソップ寓話集』（岩波文庫）には「人間の寿命」という大略次のようなお話が載っています。

神が、人類を創造したとき、その命を短くなさったが、人間は知恵を働かせて、冬が来ると、自分で家を作り、そこに住んだ。とても寒い冬のある日、寒さに耐えられない馬牛犬がやって来て、一夜の宿を乞うた。人間は宿を提供する代わりに、馬牛犬の寿命の一部を分けてもらった。こうしたことから、人間は長生きができるようになったが、問題が生じた。

人間は、神が決めた寿命の間は純真善良であったのに、馬からもらった年になると、鼻息が荒い高慢ちきになり、牛の年に達すると、厄介者になり、犬からもらった年に入ると、怒りっぽくなった。この話は、短気で強情な年寄りに対する教訓だそうです。考えさせられます。

ウサギのお話にもどります。少し季節外れですが、小学唱歌「うさぎ」（堀内敬三・井上武士編『日本唱歌集』岩波文庫）にもうたわれているように、月にうさぎは絵になります。月の表面の陰影から、日本では「兎の餅つき」を思い描き、中国では「兎の薬つき」を連想するそうです（諸橋轍次『十二支物語』大修館書店）。餅と薬。かなり違います。尖閣諸島問題も簡単には片付きそうにありませんが、今年の中秋の名月は、日本では月見団子を、中国では月餅を食べながら、平和に仲よく楽しめますように！

## 二〇一一年春　花に嵐

インターネットも携帯電話もなかった時代に、入学試験の結果を電報で知らせる小遣い稼ぎのアルバイトがありました。学校によって電文に違いがあったようですが、定番は「サクラサク」と「サクラチル」。でも通常「チル」のは咲いてからですから、この組み合わせは少しおかしいのですが、字数＝電報料金との関係もあり、当時は全く気になりませんでした。今、咲いた「サクラ」が猛烈な逆風にさらされています。

文部科学省と厚生労働省が一九九六年以降実施している「大学等卒業予定者の就職内定調査」によると、昨二〇一〇年一二月一日時点での今春（二〇一一年）大学卒業予定者の就職内定率は六八・八パーセントで、調査が始まって以来最低の水準となり、日本経済が低迷を続けるなかで、若い世代は「超」の字が頭につくほどの就職氷河期に直面しています。就職氷河期という言葉が使われるようになったのは一九九〇年代の初め当たりから、と記憶していますが、二〇〇〇年前後の厳寒期でさえ、この数値は七〇パーセント台半ばだったのですから、今春の卒業までに就職内定に漕ぎ着けた若者がいるにしても、高校新卒者・中学新卒者の内定率も低く、並大抵の深刻さではありません。

お子さんたちを長年手塩にかけて養育してこられた保護者のなかにも、やりきれない思いで春を迎えられた方が少なからずいらっしゃるはずです。人数からすると、新卒者として就職できなかった若者の数よりも、その多くは父母にあたる保護者の数のほうが圧倒的に多いはずです。現時点における家族関係がいかなるものであろうと、子どもには必ず父と母がいる、少なくともいたはずですし、両親と死別している若者であっても、成人するまで、あるいはそれに近い年齢に達するまでは、祖父母・伯父伯母（叔父叔母）・兄姉などにあたる人たちによって支えられてきたはずです。これらの人たちも、養育あるいは支援してきた若者の行く末を、きっと案じていられるはずですから、問題は一層深刻です。

大学卒業年齢に達した子どもの行く末を案じるなど過保護に過ぎる、という見方もできるでしょうが、一人っ子が多くなっている今の時代、そうとばかりもいえない側面があります。また、ニートと呼ばれる、就職も就学もせず、職業訓練も受けないで過ごしている若年層・青少年層の増加は、若い世代自身の考え方や行動などにも問題があるにしても、放置しておくことができない社会問題になっています。若い世代が、これからの日本の社会と経済をしっかりと担ってくれないことには、私たち年金受給世代に「明るい明日」はありません。

かつて英国は福祉に力を入れすぎて、英国病に陥り、経済が長期的に停滞した、といわれました。一九八〇年代に獅子奮迅の活躍をして、当時「鉄の女」と呼ばれ、今は認知症の、英国初の女性首相マーガレット・サッチャーさんは、しきりにそのことを強調し、社会保障制度の改革、見方によっては改悪を積極的に進めましたが、日本と比較すると、イギリスは依然としてはるかに高負担の国です。それでも労働生産性が低いわけではありません。また、日本よりもはるかに高負担のドイツやフランスやスウエーデンの労働生産性も、軒並み日本よりも高く、社会保障が怠けものを作る、とは一概にいえません。

昨年（二〇一〇年）、根岸英一博士と鈴木章博士がノーベル化学賞を受賞されましたが、お二人の実質的な研究業績は今から三〇年ばかり前のものでした。教育や研究の成果の評価には時間がかかります。本来の教育や研究は投資ではありませんが、社会の成長発展の土台は教育研究によって築かれます。社会全体として、また私たち一人一人の取り組みとして、咲いた花が立派な実を結ぶように、教育→雇用のあり方の抜本的な見直しをする必要があるのではないでしょうか。

## 二〇一一年青春　追悼　庭田範秋先生　日暮れかけて、道遠し

まことに不肖の弟子ではございますが、先生のこの世での最後の一夜に唯一人付き添わせていただいた、ということで、慶應義塾大学商学部・庭田研究会で先生のご指導をいただいた門

下生を代表して、庭田範秋先生にお別れの言葉を述べさせていただきます。先生は、きっと「何だ、君か」と、がっかりされていらっしゃることでしょう。

今から四〇年以上前のことです。先生のご指導を私がいただくようになったころに、先生から、先生の二冊目のご著書『わが国近代保険学の発展』（慶應通信、一九六二年）を、「真屋君　後人に越されざるは難し　著者」の献辞付きで頂戴しました。そして、先生がお亡くなりになられる直前に、次のようなお言葉をいただきました。「真屋君、今のままで終わったのでは、並みの学者とほとんど変わらないよ。もう一冊、いやもう二冊、本を出さなくてはいけないよ。竹千代と国松とは違うのだよ。」そして「燕雀安くんぞ鴻鵠の志を知らんや」（司馬遷『史記』）ともおっしゃりました。日暮れかけて、道遠し、を日々実感している、生来、無精者の私にとって、これから二冊の著書をまとめ上げることは、難行苦行以外の何物でもございませんが、何としてもやり遂げて、近い将来、先生にご報告させていただきます。

私が大学院生時代に親しくご指導をいただいていた当時の先生は、眼光鋭く、風貌・居住まいともに、これぞ大学教授としか表現のしようがございませんでした。言動、服装、いつも本と資料ではちきれんばかりの黒革の鞄、すべてにおいて、私たちに寸分の隙さえおみせになりませんでした。夏休みなどに、鎌倉の先生のお宅を、当時の大学院の仲間たちと訪問して、勉強会を開いていただいたときには、さすがに背広はお脱ぎになっていらっしゃいましたが、それでも謹厳そのものでした。ところが私は、あまり素直な弟子ではなく、先生のお説に賛同しかねる場合に、他の諸君のように適当に調子を合わせて相槌を打つことなく、屁理屈を並べて、何かと反論したり、しばしば口を真一文字に引き結んでコメントを控えさせていただいたりしていたため、「君の〝へ〟口は何とかならないか」と、よくお叱りをいただきました。それでも私は譲歩することは一切なく、「男（の子）はやたらにしゃべるものではない、口はいつも一文字に結んでおくものだ、と子どものころから躾けられましたので、いまさら変えることはできません」などと減らず口を叩き、福澤諭吉先生の「瘠我慢の説」に重ね合わせて、先生に「瘠我慢の人」の称号をお贈りしていました。先生の「瘠我慢」は、福澤先生が「丁丑公論」（『福沢諭吉選集　第一二巻』岩波書店）において強調された「大義は破る可らず、名分は誤る可らず」に通じるものでした。

私たち門下生にとっての先生の印象が急激に変わっていったのは、先生ご夫妻が一年余りのイギリスを中心にしたヨーロッパ留学を終えて、ご帰国なさってからです。これ以後、先生は、ご活躍の場を研究と教育を中心にしたものから、社会的な活動にまで積極的に広げられ、政府の審議会やマス・メディアなどを通じて、深遠な学理学識に裏付けられたご発言を多くなさるようになるとともに、座談の名手としての先生の語り口に一段と洒脱さと軽妙さが加わり、ほどよい、ときに強烈な毒舌が混じってまいりました。

また、このころから、先生は、折に触れて、多彩な趣味についても私たちに語られるようになりました。まず俳句については、先生のお父上がお生まれになられたのが、徳川時代に代々

「清風楼華泉」を名乗られていた宗匠のお家で、先生は子どものころから俳句に親しんでいらっしゃいました。先生にいただく賀状や寒中見舞いや暑中見舞いなどに、しばしば俳句が添えられていて、それを楽しみにしていた方も大勢いらっしゃったようにお聞きしています。そうした中で、先生からお薦めいただいた正岡子規の『歌よみに与ふる書』（岩波文庫）からは、評論批評の作法を学ぶことができ、先生が日ごろ口にされていた「人生に無駄なし」とは、このことか、と妙に納得がいったものです。

先生の歌舞伎好きも、先生の晩年にはつとに有名になっていました。ことに坂東玉三郎丈が大の贔屓で、有力な後援会会員でもいらっしゃいました。先生の還暦祝賀会を帝国ホテル内の東京三田倶楽部で開いた際に、来賓としてお招きした明治大学名誉教授の印南博吉先生は、庭田先生が玉三郎贔屓であることを知ったときには本当に驚いた、と祝辞の中で声を大にしておっしゃったことを、今でも鮮明に記憶しています。そのころまでは先生と交流があった大方の人たちにとって、先生と玉様との組み合わせは想像を絶する、といってもよいほどのものでした。

唯一、先生とほとんど対等に語ることができたのは、比較的古い映画についてです。でも好みはかなり違っていました。先生のお気に入りの作品を思い出すままに挙げていきますと、「第三の男」「駅馬車」「風と共に去りぬ」「舞踏会の手帳」「太陽がいっぱい」「モンパルナスの灯」「わが谷は緑なりき」「北北西に進路を取れ」「パリの空の下セーヌは流れる」「カサブランカ」

「哀愁」「旅愁」あたりでしょうか。邦画では、小津安二郎、溝口健二、木下恵介、黒澤明などの、作品群でしょうか。

読書は、研究者・教育者にとって趣味というよりも仕事そのものです。それにしても先生の読書の幅の広さと奥行きの深さには、古今東西・硬軟・軽重・分野・テーマなど、質と量に関するあらゆる点において、他の追随を許さないものがありました。ことに専門の研究と直接関係がない分野の本を多く読まれ、それを研究において活用される手腕は、先生ならではのものであり、到底まねることができないものでした。ことに先生は、大衆小説・時代小説もよくお読みになっていらっしゃいました。これについては、私も少しは話のお相手を務めさせていただくことができました。小説の主人公で先生がお好きであったのは、度量の大きさで平清盛（吉川英治『平家物語』）、発想の雄大斬新さで織田信長（司馬遼太郎『国盗り物語』）、剣一筋の宮本武蔵（吉川英治『宮本武蔵』）、自由闊達な坂本竜馬（司馬遼太郎『竜馬がゆく』）、などでした。

晩年は、芳子奥様もご一緒に、そしてしばしば友人・知人・門下生とカラオケをお楽しみになられたようです。これには、印南先生が庭田先生と玉様の組み合わせに驚かれた以上に、私は仰天してしまいました。幸いなことに一度もカラオケをご一緒させていただくことはございませんでした。カラオケ嫌いの私はそれを誇りにしていますが、今にして、一度、先生の歌を聴かせていただいておくべきであった、と悔やんでいます。

クラシカル音楽もよくお聴きになられたようです。とりわけイギリス留学中は、コンサートを毎晩のように楽しまれたようです。先生は、モーツアルトの作品がお好きでした。彼に天才の悲劇を感じ取られていたのでしょう。彼を主人公にした映画「アマデウス」もお気に入りの一つでした。音楽についても、先生と私は好みが異なっていました。私は、ベートーベンが第一と考えています。ただし、暮れの第九は大嫌いです。この点については、先生と議論する機会が、ついにないままになってしまいました。

私は、ほとんどありとあらゆる点において、先生の対極にいる人間であり、先生のご指導を素直に受け入れることは滅多にございませんでしたが、研究活動の成果をある程度出している限りにおいて、先生は寛大に私の不遜な振る舞いを許してくださいました。先生の晩年に、ご新著をご恵贈いただいた際に、私が先生にお送りした読後感の一部を抜き出すと、次の通りです。

『社会保障と日本の前途』有斐閣、二〇〇五年

その時々における新しい重要な課題を網羅的にとりあげた良書であるが、本物の教養とは何かを解しえず、軽佻浮薄な風潮に迎合する、大方の平均的な現代人にとっては、難解な啓蒙の書であり、クラシカルなスタイルの警世の書。

二〇〇五年一一月二七日付けの庭田先生あての書簡

『社会保障の失意と希望』成文堂、二〇〇六年

書名に込められた含意は「社会保障に対する（ひとびとの）失望と希望」ということなのでしょうが、「社会保障の失意と希望」という書名は、文意が不明確で、音の響き「シャカイホショウノシツイトキボウ」も歯切れが悪くないでしょうか。たとえば、「ホケンケイザイガクジョセツ（保険経済学序説）」「ホケンリロンノテンカイ（保険理論の展開）」とお比べください。書名に「社会保障」を掲げながら、内容は大方のところ「社会保険」に関するもので、「公的扶助」「社会サービス」に関する本格的な論及が事実上皆無です。これらの重要性は、一段と増してきており、国際的には、社会保障から、さらに広い概念の社会（的）保護へ向けての流れが主流になりつつあり、いまや社会保障の新しい概念構築が重要な研究課題にもなっています。こうした現状認識からは、当然、ホームレス、パートタイマー、フリーター、ニートなど、社会保障の網の目からこぼれ落ちがちなグループをめぐる問題が視野に入ってきます。

二〇〇七年九月二六日付けの庭田先生あての書簡

『平成の逆風と新風』成文堂、二〇〇七年

一般の読者には、「書名」「内容」に比して、値段が高すぎないでしょうか。売れ筋の本は、高くても二〇〇〇円まではないでしょうか。このように考えると、少し大きめの活字での新書版・文庫版などでの分冊あるいはシリーズものとして出版されることをお考えになっても、

よろしかったのではないでしょうか。警世・啓蒙の書としては、一部の（熱狂的）支持者を対象にするだけでなく、より多くの（一般の）読者の獲得を念頭においての企画が立てられてしかるべきではなかったか、と考えます。

二〇〇七年九月二六日付けの庭田先生あての書簡

実に不遜な読後感を先生にお送りしています。ちなみに先生の最後のご著書『直視しよう、この日本！』（成文堂、二〇〇八年）は、四六版と小型化し、本文一七三ページ、本体一六〇〇円で、文字も大きく、行間も広くなっています。その「序」と「結」の結びの言葉は、次の通りです。

「序」春が深まれば深まるほど、人の愁いも濃い

「結」天道―天の道に沿って正しく生き、
　天運―天からの良運をその身に受ける。
　天命―天から授けられた使命を果たすべくその一生を公正に努める。
人と生れて、かくありたきものである。

先生のお人柄を語る上で、どうしても触れなくてはならないのが、先生の猫好きです。野良

〈庭田先生の著書『わが国近代保険学の発展』の外箱といただいた献辞「後人に越されざるは難し」（上）／昭和天皇のお招きで赤坂御苑での園遊会に参加された庭田先生ご夫妻：1980年秋（下）〉

猫も含め、いつも多くの猫をかわいがっていらっしゃいました。湘南獣医師会から動物愛護で表彰されてもいらっしゃいます。猫だけでなく先生の小動物好きは、先生の研究姿勢の厳格さとは対照的な人間としての優しさ温かさを表しています。猫たちにおかけになる声の優しさ、猫を抱き上げていらっしゃるときのうれしそうな表情を、忘れることができません。

ある時期、ご自宅の広い庭にさまざまな樹木を植えられていました。でも、これは正統派の造園術・ガーデニングの原理原則にかなったものではなく、まったくの自己流で、ずい分凝っていらっしゃいました。先生は、読者の大部分が読み捨てにしてしまいそうな雑誌や冊子に随筆を寄稿されるときでも、一字一句を実に丁寧に吟味され、推敲を重ねていらっしゃいました。自己流とはいえ、庭づくりもこれで、一木一草を大切になされていました。

このように立派な先生ではありましたが、それでも私は、最後にどうしても先生に苦言を呈さざるをえません。先生ご夫婦は、つい先日まで文字通り琴瑟（きんしつ）相和す日々を送っていらっしゃいました。それが、今は、幽明境を異にすることになってしまいました。奥様を一人お残しになって、一人で遠くに出かけて行かれるとは、先生もあまりに無責任ではございませんか。私たち門下生は、よく「奥様あっての先生だ」と話していました。きっとご家庭では、わがままで、甘えん坊であったに相違ない先生を誠心誠意支えていらっしゃった最愛の奥様をお一人にして旅立ってしまわれるなど、あまりといえば、あまりに身勝手すぎるではありませんか。わがままの報いで、そちらではご不自由されることがあるかもしれませんが、奥様には、米寿卒寿白寿はいうまでもなく、百寿を過ぎて、皇寿さらには大還暦をお迎えになられる頃まで、こちらにとどまっていただきます。未来永劫とまでは申しません。ご了承ください。

（注）先生のご命日は二〇一〇年四月二七日で、本小論は、拙稿「お別れのことば（弔辞）」庭田範秋先生追悼文集編集委員会『天道天運天命―庭田範秋先生追悼文集』（慶應義塾大学出版会）を要約したものです。

## 二〇一一年夏　想定外

前出「地震雷火事ダメ親父」の書き出しは次の通りですが、覚えていらっしゃいますか―地震雷火事親父。かつて人びとが恐がったものを順に並べると、こうなります。防災関係の科学技術が驚異的な発展を続けてはいるものの、首都圏では多くの人びとが、防ぎようがない地震の危険にさらされて暮らしています。地震関連の商品がいろいろ売り出されてはいても、いずれも焼け石に水程度の効果しかなさそうで、大地震になれば、わが家などはお手上げで、被害が最小限ですむことを祈るばかりです。

こう書いたときの私が漠然と〝想定〟していたのは、東京直下型大地震と富士山の噴火でした。案じていたことが、私の〝想定〟とは少し違ったかたちで生じてしまいました。警察庁「平

〈本が床に散乱する東北地方太平洋沖地震翌日（2011年3月12日）の筆者の仕事場〉

成二三年（二〇一一年）東北地方太平洋沖地震の被害状況と警察措置」によると、地震後二カ月の二〇一一年五月一〇日時点において、死者一万四九四九人、行方不明者九八八〇人、避難者一一万七〇八五人、に達しています。また、二〇一一年三月二三日時点での政府の試算によると、経済的な損失は一六―二五兆円とのこと。しかも、政府と東京電力株式会社の決断力・責任感の欠如、国民住民に対しての欺瞞的な情報提供、事故への対応をめぐる混乱・不手際、などによって増幅された人災としての要因が顕著な福島第一原子力発電所における危機的な状況は、国際原子力事象評価尺度で最悪のレベル七―深刻な事故＝放射性物質の重大な事業所外への放出：原子炉や放射性物質障壁の壊滅・再建不能―に到達し、原子力発電所の事故に関連しての犠牲者が出始めています。

犠牲になられた皆様のご冥福を心からお祈り申し上げるとともに、被災された皆様に対しては心からお見舞い申し上げます。

東日本大震災によって、豊かな社会・日本に、実にさまざまな巨大危険が内在していることを、国内外の多くの人びとが、再認識することになりました。そして、多くの人びとが、日本語はとても便利な言葉であることに気付いたはずです。三つ葉葵の御紋入りの印籠よろしく、何かにつけ、困ったときは〝想定外〟。「〝想定外〟である。許せよ。努力はしているつもりじゃ。辛抱してくれ。節約してくれ。」

でも一国の宰相、財界の重鎮たるお方が〝想定外〟の出来事に迅速適確に対処できなくては困りますね。難局を切り抜ける能力を備えていてこその首相であり、社長なのではありませんか。真の指導者を欠く日本の政治と経済に混迷が続いているのも当然かもしれません。とはいえ、間接的ではあれ、政界の指導者は有権者である私たちが選んだわけですから、「小沢一郎さんが、鳩山由紀夫さんが、そして菅直人さんまでもが、XXXとは、まったくの〝想定外〟であった」とされても、私たち自身にも責任の一端があります。

便利な日本語といえば、官民挙げての「がんばろう日本」の類の呼びかけも気になります。いわれなくても、みんな頑張っていますよ。何を頑張れば、被災された方たちの窮状が緩和されるのですか？どのように頑張れば、私たちは放射性物質の脅威から逃れられるのですか？

現役を退いている私たちも頑張らなければならないとして、今以上に何をすれば、よいのですか？ 保険料を長年払い続け、権利として頂いているはずの年金をご辞退申し上げれば、よろしいのですか？ 姨捨山（おばすてやま）にでも隠棲すれば、よいのでしょうか？

なんだか先人に聞かされた「足りぬ足りぬは工夫が足りぬ」「欲しがりません勝つまでは」の時代に似た、きな臭さが感じられる、年金受給者にとっても〝想定外〟続きのこの頃です。

総理大臣閣下、是非〝前向き〟にご検討を！

## 二〇一一年朱夏 危険と隣り合わせの豊かな社会

死者六〇〇〇人超、被害額一〇兆円に達した一九九五年一月の阪神・淡路大震災から、丁度一五年経過した二〇一〇年一月にハイチで大地震が発生したが、救援活動が進まず、被害状況の確認ができない状態が続いた。また同年二月にはチリでも大地震が発生した。そして二〇一一年三月一一日には、その規模において一九九五年一月一七日に発生した兵庫県南部地震（阪神・淡路大震災）をうわまわる、マグニチュード九・〇の東北地方太平洋沖地震（東日本大震災）が発生した。

「ゆたかな社会」といわれる日本に、地震保険や原子力保険などでは対応しきれない、保険による経済的保障の水準をはるかに超える、実にさまざまな巨大危険が内在していることを、国内外の多くの人びとが再認識した。

もっとも豊かな大国アメリカでさえ、二一世紀の幕が明けた二〇〇一年九月一一日の同時多発テロ事件や二〇〇五年八月のハリケーン「カタリーナ」などによる巨大自然災害―実は社会経済的＝人災的な要因のほうが大きいかもしれない―に見舞われるなど、見方によると、むしろ危険は増大し、巨大化しつつある、とさえいえる。発展途上国が多いアジアに目を転じても、二〇〇四年一二月のスマトラ沖大地震およびインド洋津波では死者が三〇万人に、二〇〇八年五月にミャンマーを襲ったサイクロン「ナルギス」では、死者・行方不明者一〇万人、被災者二五〇万人（二〇〇八年五月一四日の国際連合による最大推計値）に達し、これに少し遅れて発生した中国・四川大地震では、死者六万人超、負傷者三七万人超、行方不明者一・七万人超（二〇〇八年六月一一日、中国政府発表）が出るなど、二一世紀の今日においても、私たちの命を脅かす、さまざまな危険が私たちの周囲から取り除かれているわけではない。

社会保障・社会保険は、人びとの暮らしを守るための制度ではあるが、こうした非常事態への対応を想定したものではないため、すぐには制度として直接的な機能を発揮しえない。そこに社会保障・社会保険の限界をみるが、社会保障・社会保険は、今後の震災からの復興の過程において、その真価を本格的に発揮することになるであろう。社会保障制度は年金に限らず、常に現象後追い的なかたちで改革に次ぐ改革を積み重ねていきながら、その過程で財政的な制約に悩まされ続けることにならざるをえない。

これに対し、ヨーロッパを中心に近年注目されているのが、社会保護である。社会保護は、教育や雇用はいうまでもなく、性・年齢・人種・宗教などをめぐる差別や偏見と一体化した社会的排除から、さらには環境などにまで及ぶ、人びと―国民だけではないことに注意―の生活の安定に関連する諸問題を幅広く対象にした「政策」「制度」ということになる。そこでは、当然のこととして、生活に関わる「公と私」の関係が重要な意味をもってくる。社会保護は、社会保障における所得保障を中心とした経済面に関しての生活保障の範疇を越えて、伝統的な社会保障を包摂しながら、あるいはそれらを核としながら、それらに関連する各種の政策・制度をも総合的に体系化し、すべての人びとを社会的に包摂し、すべての人びとにとっての実質的な社会参加を可能にし、すべての人びとの生活の安定を実現するための社会経済的な前提条件を整備する、という発想に基づく総合的な政策概念である。社会保障に関連する政策、たとえば、労働政策・雇用政策などを積極的に包含しつつ、政策・制度間の縦横の連携を密接かつ柔軟にして、社会的排除をなくし、社会的包摂を推進していく、という立場が社会保護ということになる。

社会保障の理念と生活の実態が乖離している現状を打ち破るには、思い切った「社会保障から社会保護へ」の政策転換が必要となる。さしあたり、社会保護については拙稿「日英比較：社会保護の視点からみた「公と私」の関係」『商学集志』(七九巻四号、二〇一〇年)を参照していただきたい。

（付記）その後、筆者は、多くの同僚の協力を得て、編著『社会保護政策論―グローバル健康福祉社会への政策提言』（慶應義塾大学出版会、二〇一四年）と単著『不思議の国イギリスの福祉と教育―自由と規律の融合―』（芦書房、二〇二一年）を出版している。

## 二〇一一年秋　二つの留学

この夏の甲子園（第九三回全国高等学校野球選手権大会）での東北勢の健闘に、日ごろ高校野球には関心がない人たちも、きっと声援を送られたことでしょう。東日本大震災の影響もあって、大会史上初めての午前開催になった決勝戦で西東京代表・日本大学第三高等学校に粉砕されたとはいえ、青森県代表・光星学院高等学校の快進撃はアッパレでした。四二年前（一九六九年）の決勝戦で、愛媛県・松山商業高等学校と延長一八回引き分け再試合の末に散った青森県・三沢高等学校の太田幸司投手のような超人気者はいませんでしたが、光星学院の戦いぶりは、多くの人びとの胸を熱くさせました。むろん、一〇年ぶり二度目の優勝を飾った日大三高の強打と集中力は特筆もので、投打走守の均整がとれたチーム作りも見事でした。

高校野球、とりわけ夏の甲子園に人気があるのは、炎天下で、およそ四〇〇〇校の頂点を、あるいは甲子園での一勝を目指して、一生懸命に白球を追う若者の姿に、多くの老若男女が何かを感じるからでしょう。高校球児の純粋さとひたむきさが、その技術水準にはかかわりなく、人びとの感動を呼ぶようです。

ところが、高校野球のあり方については、ずい分以前から疑問を呈する人たちもいます。いわゆる野球留学の問題です。二〇一一年八月二〇日付け『朝日新聞(夕刊)』によると、光星学院の主将は沖縄からの野球留学生とか。かつての野球後進県・沖縄も近年はずいぶん強くなっています。それに比べて、青森県はやや差をつけられているように見えます。だから青森の高校に留学すると、金はかかるが、甲子園は近くなる。とまあ、このように考えたのでしょう。甲子園の土を踏みたいと考えれば、悪くない判断かもしれません。

そういえば、数年前、甲子園を大いに沸かせ、今は職業野球で活躍しているはずが、くすぶっている(元)ハンカチ王子こと斎藤佑樹投手(早稲田実業学校高等部)も、日本で活躍した後、アメリカにわたって頑張っているマー君こと田中将大投手(駒澤大学付属苫小牧高等学校)も、ともに野球留学生でした。彼らは、いわば純粋培養高校球児でした。甲子園を、さらにはプロ野球を目指しての、野球留学は是か非か。一九三四年に『熱球三十年　草創期の日本野球史』(その後、中公文庫)を著わし、世に精神野球の権化ともいわれる、かつての早稲田・飛田穂洲流精神野球の視点からは非です。でも今の時代、そうとばかりもいえません。映画化もされたマイケル・ルイス(中山宥訳)『マネー・ボール(完全版)』(ハヤカワ文庫)を読むと、野球の楽しみ方が増しますよ。

全国には、有名大学・名門大学への進学を目指して、遠隔の地にある受験名門校に進学する若者と、それを認め、物心両面で支援する保護者が、相当数いるはずです。こちらは、いわば受験留学で、純粋培養大学受験生ですが、野球留学ほどには問題視されません。野球はダメで、受験勉強ならヨシ。少しオカシクナイカ。これら二つの留学のどこに違いがあるのだろう。

一方は、小集団での「体力＝主、知力＝従」の動的な競い合いであり、夢は地域代表としての甲子園出場。その間の経緯・結果が、さまざまなメディアを通じて全国に報道されます。この地域性が、ある種の排他的なものの見方、つまり野球留学批判を生み出す一因になっているのかも。他方は、完全に個人間の「知力＝主、体力＝従」の静的な競い合いであり、絵になりにくく、見ていてもあまり面白くなさそう。でも入学試験本番までの受験生の刻苦勉励ぶり、試験当日・試験会場の緊張感、合格発表日の悲喜交々、などを克明に記録し報道すれば、甲子園よりも緊迫感のある青春ドキュメントに仕上がるかもしれない。

「神々しさが極まるのが夏の決勝だ」（二〇一一年八月二一日付け『朝日新聞』「天声人語」）とまでいわれると、さすがにしらけますが、若者には、何であれ、真剣に取り組み、超高齢社会を支える力を身につけてほしいものですし、さまざまな可能性をもっている若者には、保護者だけでなく、社会が挑戦の機会を与えるべきでしょう。孔子いわく「後生畏(おそ)るべし」。

## 二〇一二年冬　異能異彩の龍

今年は辰年です。威勢のよいタツ＝龍（竜）にあやかって、今年こそ国内外によどんでいる閉塞感を一気に打ち破りましょう。多くの人びとが龍から連想するのは、大きい、強い、勢いがある、優れている、でしょうから、きっと難局を打開できます。

諸橋轍次ほか『広漢和辞典　下巻』（大修館書店）によると、「龍」は王者に関する物事に冠する語として、龍衣、龍駕、龍顔、龍眼、龍旗、龍騎、龍姿、龍車、龍種、龍舟、龍升、龍潜、龍体、龍徳、龍飛、龍輿、のように使われます。しかも「龍」には「めぐみ」「いつくしみ」「やわらぐ」という意味もあります。

なるほど、名前に「龍（竜）」の字を含む人物で思い浮かぶのは、異才の人たちばかりです。

第一に、小説やドラマなどで人気随一の坂本龍馬。この傑物の事績については「?」も多いようですが、菊池寛賞を受賞した司馬遼太郎さんの『竜馬がゆく』があまりにも有名で、史実と虚構がないまぜになった、大変魅力的な竜馬像ができ上がってしまった感さえあります。

第二に、中里介山がこの世に送り出し、龍馬とほぼ同時代に生きた剣士、『大菩薩峠』の主人公・机竜之助。『大菩薩峠』は、世界の文学史上における最長編作の部類に入る未完の大作で、日本では大衆小説の先駆とされ、菊池寛や芥川龍之介なども評価しています。私は三〇年近く

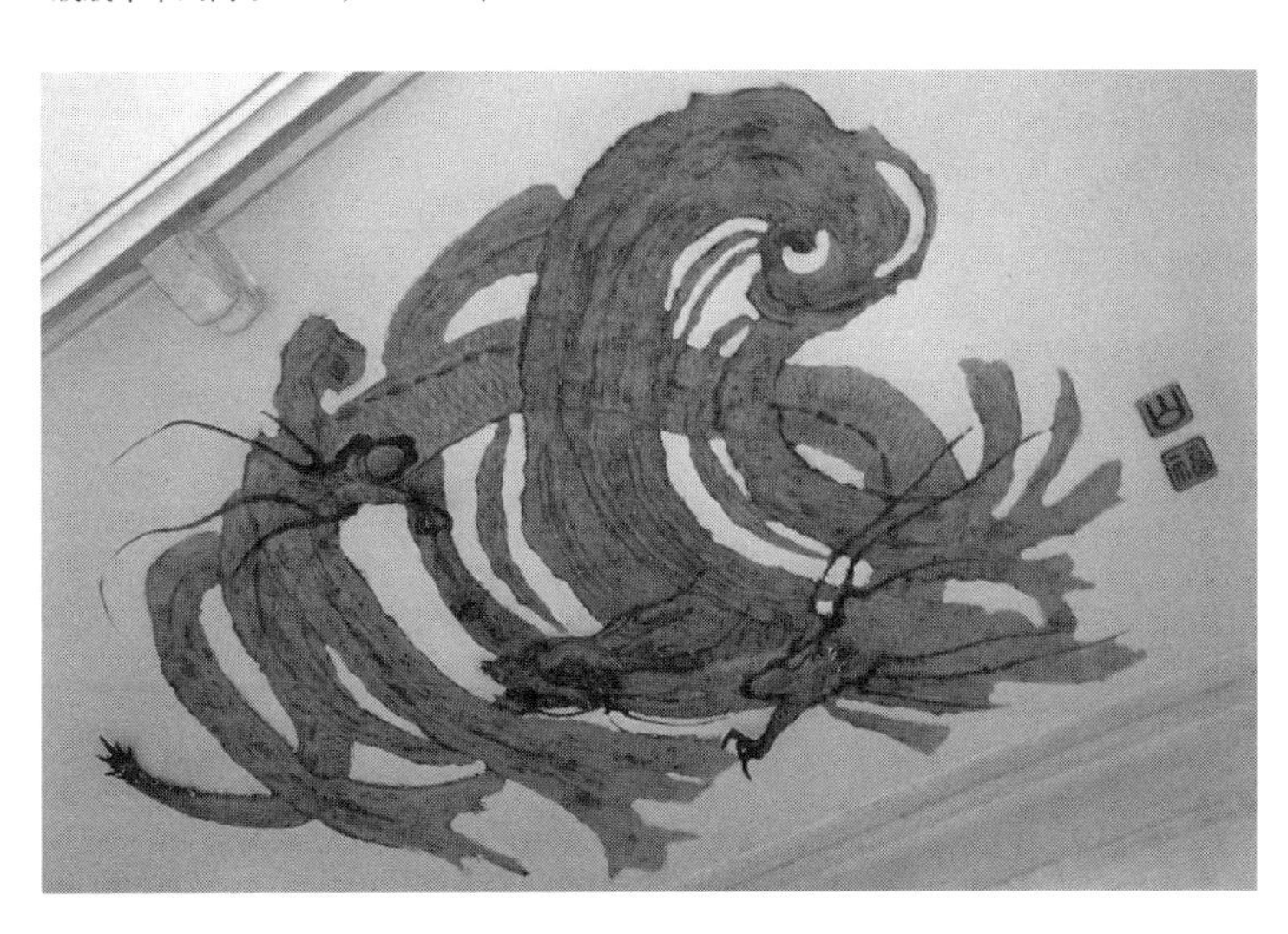

〈学生時代に寮生活を4年間送った三田(旧・港区三田小山町)の古刹・浄土宗永昌山龍原寺本堂の向拝(張り出し部分)の天井に描かれた知る人ぞ知る龍の鏝絵〉

前に筑摩書房版全一二巻のうち四巻まで読んで挫折中。主人公は、日本の時代小説に初めて登場した虚無の人といわれ、不気味な人物なのですが、この作品は何度も映画化され、当代の実力派人気俳優であった大河内傳次郎、片岡千恵蔵、市川雷蔵、仲代達矢が、新国劇でも澤田正二郎と辰巳柳太郎が、主役を張っています。

第三に、作家・芥川龍之介。一小説家の名前を冠した、事実上、一出版社が授与する文学賞でありながら、芥川（龍之介）賞は、日本で最も権威がある（と世間で思われている）作家の登龍門。芥川の実力・魅力もさることながら、この賞と併せて直木（三十五）賞を創設した菊池寛の出版業界人としての先見性も非凡。持つべきものは、よき友ですね。

第四に、少し地味ながら、映画全盛期にいぶし銀の輝きを放った月形龍之介。時代劇俳優としての印象が強いのですが、現代劇も含め、幅広い役柄で、およそ五〇〇本の映画に出演。黒澤明監督の登龍門になった第一作『姿三四郎』（一九四三年公開、原作は富田常雄）では、主人公・姿三四郎の宿敵・檜垣源之助を圧倒的な存在感で演じ切っています。戦後の映画・テレビでの水戸黄門役も、先ごろ四二年続いた放映が終了した人気番組「水戸黄門」で主役を演じた俳優さんたちを、その威厳・気品・風格のいずれにおいても寄せ付けない御老公ぶりでした。

そしてもう一人、「龍」といえば、忘れてならないのが臥龍鳳雛（がりょうほうすう）―臥（ふ）している龍と鳳（おおとり）の雛（ひな）の「龍」。この言葉は、世に知られていない逸材のたとえで、臥龍は日本人にも人気抜群の若き日の諸葛孔明、鳳雛は孔明に劣らないほどの才気にあふれる龐統（ほうとう）。龐統の出番がやや少ないものの、いずれも『三国（志）演義』で大活躍をすることは、皆様ご存じの通りです。その実像についてはさまざまな議論がありますが、かたいことはいいっこなしにしましょう。高島俊男『三国志　きらめく群像』（ちくま文庫）には、こうあります。「事実だけを列挙したのでは、歴史は索漠たるものになってしまう。」

番外は、昨秋、流星光底長蛇を逸し、画竜点睛を欠きはしたが、意地を見せた、中日ドラゴンズのオレ流・落合博満。しょせん欧州では龍は聖ジョージに退治される悪役だ、との異論も出そうですが、東は東、西は西。天晴れでした。

龍吟ずれば、雲起こる。みんなの力を結集し、今年を勢い盛んな龍騰の年にいたしましょう。

## 二〇一二年春　石の上にも三年

春はあけぼの―あまりにも有名な清少納言（池田亀鑑校訂）『枕草子』（岩波文庫）の出だしです。「あけぼの」が、夜がほのぼのと明け始める頃を示す、死語と化しつつある「麗しき」日本語であるのに対し、「見苦しき」言葉の代表が、海外では通用しないカタカナ英語やメディアで濫用される軽薄な日本語。

「あけぼの」といえば、外国人初の横綱のしこ名も「曙」（後に旁に点（、）が付いた「曙」）でした。引退後、プロ・レスラー（総合格闘家）に転身したらしいのですが、今どうしているのでしょう。石の上にも三年、といいます。彼は、引退転身して、三年はおろか、一〇年は経過しているはずですが、プロ・レスラーとしては泣かず飛ばずで終わるのか。

孟浩然の「春眠暁を覚えず」（高木正一『新訂　中国古典選　第一四巻　唐詩選　上』）も心を豊かにしてくれますが、やはり「春はあけぼの」の情趣のほうが日本人の感性にはぴったりのように思われます。いかがでしょう。

およそ六〇対四。なんだかお分かりですか。前出二〇〇九年夏から二〇一二年冬までの丸三年一四編中で著述家や架空の人物などを含む六〇余名の古今東西の著名人物などを取り上げてきましたが、このうち女性は、わずかに次の四名だけ―マリ・アントワネット王妃、美空ひばりさん、マーガレット・サッチャー首相、庭田芳子夫人。

私にとって男女平等・男女同権は空気のようなものですが、社会には、まだまだ女性にとって不公平・不公正なことがたくさんあります。そのことを、折に触れて指摘してきてはいても、このように、まだまだ私には、本当の意味での男女平等・男女同権が身についていないようです。「春はあけぼの」と書き出し、清少納言の名を挙げたところで、このことにはたと気付きました。そのため、以下は、当初の構想とは、まったく違った展開になり、勢いで路線を大幅に修正し、そのまま突っ走ります。

時代が下って、これまた大方の読者の皆さんがご存じのはずの平塚らいてうの雑誌『青鞜』発刊の辞「原始、女性は実に太陽であった」(小林登美枝ほか編『平塚らいてう評論集』岩波文庫)。これもいいですね。「女性が月か太陽か、はたまたほかの星か」は別にして、女性なしの日本もなければ、人類も地球もありません。その女性が地球上のいたるところで、さまざまな差別どころか、虐待迫害を受けています。ところが、日本にいると、女性ではあるが、幼稚園児のお遊戯もどきで、大人の鑑賞には堪えないＡＫＢ48に関する情報は氾濫していても、深刻な人間の尊厳に関わる大切な情報はあまり入ってきません。対照的に、かつて世界中に植民地をもっていたせいもあり、また先進諸国の中で真っ先に女性首相を選出した国だけあって、イギリスにおけるこの種の問題への取り組みは、老若男女の別に関わりなく、足が地についています。

何事も知らなければ、知らない当人にとっては、あることがないも同然になる。根強い女性差別―近年はジェンダーというカタカナ英語がよく使われます―はいうまでもなく、何であれ、好奇心、気取っていえば、問題意識をもつことが、第一歩です。まず知り、そして考え、さらにできれば、何らかの行動を起こす。年金受給世代は、余命との関係で最終的な責任はとれなくても、社会と積極的に関わりながら生き続ける。どうでしょう。

塩野七生『再び男たちへ　フツウであることに満足できなくなった男のための六三章』（文春文庫）には、「人間は所詮、認められるからこそ苦労もいとわぬ存在なのだ」とあります。

## 二〇一二年青春　大学は出たけれど

何よりも国民・市民に対して責任ある立場にある方々には、付け焼刃の「国民の立場」「国民目線」からの社会保障論ではなく、誰もが納得できる、足が地に着いた社会保障論を展開していただかなくてはならない。先に取り上げた『厚生労働白書　二〇一〇年版』の副題「参加型社会保障の確立に向けて」という考え方には基本的に賛成であり、社会保障はそうあるべき、と思う。しかし『白書』が意図する「参加型社会保障」の目的には「?」を付けざるをえない。「目的一」は「生き生きと働く（働き手を増やす）」であるが、はたして現代社会で働き続けることが、そんなに素晴しく、楽しいことなのだろうか。

アダム・スミスは、その著『国富論』（大河内一男監訳、中央公論社）において、次のように述べている。「あらゆるものの真の価格、すなわちあらゆるものが、それを獲得したいと望む人にとっての真の費用とは、それを獲得するための労苦と骨折りである。」

また同書において、スミスは、次のようにも述べている。「人それぞれの生まれつきの才能の違いは、われわれが気付いているよりも、実際はずっと小さい。様々の職業に携わる人びとが、成熟の域に達したときに、一見、他人と違うように見える天分の差異は、多くの場合、分業の原因というよりも、むしろその結果なのである。」

そうであるとすれば、高度を通り越して極度に分業化が進んだ現代社会における、さまざまな次元での、また事象をめぐる社会経済的な格差をみるにつけ、多くの人びとにとって、働くことは必要不可欠ではあっても、「生き生きと働く」ことなど至難の業であろう。たとえば、「地獄」が頭につく、首都圏におけるすし詰め状態の電車や地下鉄などでの長時間の通勤通学などは、「素晴しい」「楽しい」の絶対的対極にある反福祉的状況そのものである。日々働くことの大前提にこうした状況があって、「生き生きと働く」ことなど、夢のまた夢である。日本人は、働き方についての考え方を根本から変えなくてはならない段階に到達しているのではなかろうか。日本人は、「生き生き」とではなく、「ゆったり」と働くことを学ぶべきであろう。

一九七一年にノーベル物理学賞を受賞したデニス・ガボールは、その著『成熟社会』（講談社）で次のように述べている。「秩序ある退却が軍事作戦で一番むつかしい。成長を偶像視してきた社会から成熟社会への移行は、とくにむつかしい。なぜならば、それは、現在、私たちの世界が「発展」の途上にある多くの局面をもっている以上、その局面においては後退を意味するからである。……（中略）……これからも長期にわたって、労働は、人類の主要な仕事であろうが、労働すなわち物質の生産という意味は、次第に薄らいでゆく。そしてサービスの重要性が次第に増してゆく。個人的（召し使いという不変的な階級によるものではない）サービスは、世の中を気持ちのよい場所にするために必要である。」

成熟した福祉社会とは、おそらくこうしたものであろう。ところが、厚生労働省と文部科学省による二〇一一年二月一日現在の「大学等卒業予定者の就職内定状況等に関する共同調査」では、大学生の就職内定率は八〇・〇パーセントの水準にとどまっている。「生き生き」働こうにも、前途有為の、そして高齢社会を中心になって支えてくれるはずの若者たちが、その多様な能力・可能性を発揮する機会すら与えられないでいる。とりわけ女子学生・若い女性が自らの能力を存分に発揮しうる機会を獲得することは容易でない。

少子高齢社会を支える日本の社会保障制度は、こうした社会経済的な基盤の上に構築されている。「参加型社会保障」の前提となる社会的労働に参加することさえままならない社会において、「参加型社会保障」論を提唱しても、あまりに現実から遊離しすぎている、としかいいようがない。社会保障・社会保険には理念理想があるが、社会保障・社会保険は現実に密着した政策・制度として初めて意義あるものとなる。

筆者の職場の大学の教室で日頃接する女子学生の就職状況をみると、本人の能力・適性・意欲……以前の問題として、女子なるがゆえに、男子学生に比べ、相当不利な立場におかれている事例が少なくない。日本国憲法のもとで男女平等は当然のことであり、一九七二年に勤労婦人福祉法（一九八五年に改正されて雇用の分野における男女の均等な機会及び待遇の確保等女子労働者の福祉の増進に関する法律（男女雇用機会均等法））が制定されて、すでに四〇年近くが経過し、男女共同参画社会の構築に向けての種々の取り組みがなされている今日においてさえ、依然として男女間の社会経済的な関係において実質的な平等が実現されている、というにはほど遠い状況にある。

## 二〇一二年夏　平清盛と漱石先生

今年二〇一二年のNHK大河ドラマ「平清盛」の視聴率が、記録的な低さで推移しているらしいですね。放映開始から半年以上経過し、夏なのにお寒い話です。NHK大河ドラマを視る習慣がないため、私は「平清盛」のできばえについて判断する材料を持ち合わせませんが、メディアが伝えるところによると、「映像が暗く汚い」「登場人物が多すぎて、人間関係が複雑」「（時代背景に関する視聴者の知識が乏しく）話が分かりにくい」などが、視聴率低迷の主な理由のようです。

「映像表現」に関しては、主観的な側面も強く、功罪相半ばする、といったところでしょうか。「登場人物の多さ」に関しては、人気タレントを多数出演させて、老若男女、幅広い視聴者の獲得を目論んだのでしょうが、主要な登場人物が増えれば、一人一人の見せ場は、自ずと少なくなり短くなる道理で、目論見が外れた。「話の分りにくさ」に関しては、平均的な視聴者と制作者の歴史認識？教養？に相当の隔たりがあった、といったところでしょう。

しょせんテレビ・ドラマの話なので、目くじらを立てて、あれこれ議論しなければならないほどのことではないのですが、ＮＨＫ、すなわち放送法（一九五〇年）に基づいて設立された日本放送協会の番組ということになると、そうもいきません。なにしろＮＨＫは、私たちからけっして安くはない受信料―衛星契約月額が私の加入している東京都年金受給者協会の年会費二二〇〇円より高い―を徴収し、全国向け公共放送を行うことを主目的とする特殊法人として、番組を制作し放映放送しているのですから、多くの人たちが楽しみつつ、同時に賢くなることもできる、少なくとも「一億総白痴化」（大宅壮一）しない程度の良質の番組を、私たちに送り届ける責務を負っているはずです。こうしたことから日本放送協会「国内番組基準」に目を通しました。少し長くなりますが、ご紹介します。

「日本放送協会は、全国民の基盤に立つ公共放送の機関として、何人からも干渉されず、不偏不党の立場を守って、放送による言論と表現の自由を確保し、豊かで、よい放送を行うことによって、公共の福祉の増進と文化の向上に最善を尽くさなければならない。

この自覚に基づき、日本放送協会は、その放送において、

1　世界平和の理想の実現に寄与し、人類の幸福に貢献する

2　基本的人権を尊重し、民主主義精神の徹底を図る

3　教養、情操、道徳による人格の向上を図り、合理的精神を養うのに役立つようにする

4　わが国の過去のすぐれた文化の保存と新しい文化の育成・普及に貢献する

5　公共放送としての権威と品位を保ち、公衆の期待と要望にそう

ものであることを基本原則として、ここに、国内放送の放送番組の編集の基準を定める。」

なるほど、これならば、受信料を負担して、NHKの番組を視聴するだけの価値があるように思われますが、NHKの看板番組の視聴率が記録的な低水準で推移している、ということは、前掲5の「公衆の期待と要望にそう」という基準に「平清盛」が合致していない、ともいえそうです。でももしかすると、「権威と品位」にこだわるNHKが、蛮勇を奮って、このところ「権威と品位」の低下が著しい、とされる日本の政治家諸先生はじめ、公衆に猛省を促すために、不人気覚悟で、前掲3の「教養、情操、道徳による人格の向上を図り、合理的精神を養うのに役立つ」番組「平清盛」を制作し放映しているのかもしれません。だとすれば、さすがNHK。

だが、漱石先生がご存命ならば、次のように評されるかもしれません。「テレビなんてむやみな嘘を吐くもんだ。世の中に何が一番法螺を吹くといって、テレビほどの法螺吹きはあるまい」（岩波文庫版『坊ちゃん』から一部改変して引用）。驕るテレビと政治家は久しからず。

## 二〇一二年秋　ロンドン五輪と三つの道

原子力発電がらみの電力不足情報でずい分脅されたこの夏でしたが、首都圏では大きな混乱もなく、秋を迎えることができました。皆さん、夏の疲れは取れましたでしょうか。この夏は、海の向こうのロンドンに地球上の五つの大陸から選ばれた多くの若き—ごくごく少数の老いた—強者たちが集い、日ごろの努力研鑚の成果を競い合いました。ビデオテープやＤＶＤの普及で、夜中や早朝に起き出してテレビ観戦しなくてもよい結構な時代になり、睡眠不足に陥る人の数も少なくなったはずですが、いかがでしたか。私は、基本的にオリンピック関連番組は視ない聴かない、どこの国・地域の選手もチームも応援しない自称・地球市民なので、睡眠不足に悩まされることなく、オリンピックをそこそこ楽しみました。

柔道がＪＵＤＯ（ジュウドウ）に完敗。無念残念！　思い起こせば、一九六四年開催の東京五輪から柔道が正式種目になり、その無差別級決勝で、神永昭夫選手がオランダのアントン・ヘーシンク選手に完敗。この時点で、この日あるは容易に予測できたことであり、ロンドン五輪でのＪＵＤＯ男子「金ナシ」は、驚くことも嘆くことも憤ることもない自然の成り行きでした。日本は柔道の本家本元とはいっても、柔道の父・加納治五郎先生以来、その歴史はたかだか百数十年にすぎず、その程度の歴史で、本家も分家もないではありませんか。

そもそも柔道は、心を重んじる「柔の道」なのだから、結果は二の次、参加することに意義あり。寛大な心で負けを受け止めましょう。私と同世代か私より年長の方ならば、原作者・富田常雄の名前は知らなかったり、忘れたりしていても、黒澤明監督の第一作でもある『姿三四郎』（新潮文庫）の名はご存知でしょう。昭和の歌姫・美空ひばりが歌ったレコード大賞受賞曲「柔」の歌詞（関沢新一）や旋律は、おそらく耳に残っているでしょう。カラオケの持ち歌にされている方も多いかもしれません。いずれも「柔の道」とは何かをわかりやすく教えてくれます。でも、ＪＵＤＯの「ＤＯ」は、単なる音の表記で、「道」を含意しません。つまり柔道とＪＵＤＯは似て非なるもので、両者は異種格闘技なのです。それにしても姿三四郎は本当に強かった。

私の生き方は「道」とは無縁だが、日本人なので「道」という言葉には心に響く何かがあります。でも、誰かが、何かが、「道」を唱え始めると、あるいは名乗りの下に「道」をくっつけるようになると、言葉とは裏腹に胡散臭くなりがちで嫌ですね。かなり以前のことになりますす。確か都の西北の学校の英国通の先生が、遊び心からにしても茶番の「紅茶道」なるわけのわからぬことをいい出され、へそが茶を沸かしました。この大先生にはとても及びませんが、私も英国には延べ数年住んだことがあります。その限られた見聞体験の中での話です。

私は、英国人が紅茶道について揚言するのを聞いたことも、紅茶道を実践している英国人に会ったことも、ありません。でも「道」には無関係の合理的・即物的な紅茶の飲み方についてならば、「ミルクが先か、紅茶が先か」をめぐって、なるほど、と得心したことが二回。

（一）ミルクを先に入れるのは貧しい人。熱い紅茶を先に器に注ぐと、器が壊れることがあり、家計に響く。

（二）ミルクを先に入れるのは賢い人。ミルクの後に熱い紅茶を注ぐと、スプーンでかき混ぜなくても、ミルクと紅茶がほどよく混ざる。

どうです。納得できるでしょう。

筆者のお気に入りは一八八六年創業のテイラー（Taylors of Harrogate）の中国系の茶葉ラプサン・スーチョン（Lapsang Souchong）だが、強いこだわりがあるわけではない。家人には、漢方薬に似た匂いがして、まずいらしい。

それにしても日本人は人がよい。多くの国民が五輪に浮かれて思考停止に陥っている隙を狙って、「社会保障と税の一体改革関連法案」を成立させた政府。こちらのほうがメダルの色や数よりはるかに重要な問題だったのですがねえ。

法案成立の目くらまし役にして陰の功労者の五輪選手団に、政府が感謝状授与。さすが都の西北出身の泥鰌（どじょう）宰相・野田佳彦さん、「御政道」も泥臭い。で、泣くのは我ら。

## 二〇一三年冬　巳年は英知で脱皮成熟

今年は、干支(えと)でいくと、巳年(みどし)で蛇の年です。昨年の辰=龍・竜に比べると、龍頭蛇尾という言葉があるように、蛇は龍より格下のようですが、けっしてそうではありません。蛇は（一）寸にして人を呑む。意味するところは、栴檀(せんだん)は双葉より芳(かんば)し、と同じです。優れた者は幼時より常人とは違っている。蛇は栴檀同様「優れた者」の象徴でもあります。今年は、幼少のころから優れていたであろう年女年男の皆さんの活躍を大いに期待できる年になりそうです。

とはいえ、日本での蛇に対する一般的な受け止め方は感覚的なもので、親近感や畏敬の念などとは無縁なようです。テレビがなかった子どものころに、漫画や絵本や映画などを通じて抱いていた、私の蛇に対する印象は、怖い、気味が悪い、ずる賢い、執念深い、などなど。薄れつつある記憶を掘り起してみましょうか。

素戔嗚尊(すさのおのみこと)に退治される八岐大蛇(やまたのおろち)、道成寺(どうじょうじ)の安珍にとりつく蛇身の清姫、豪傑・児雷也（自来也）の宿敵・大蛇丸、マムシの斎藤道三、川口松太郎原作の映画「蛇姫様」。アダムとイブを唆(そそのか)す蛇、『イソップ』の蛇の寓話、クレオパトラと毒蛇、『ジャングル・ブック』の大蛇カー、『白蛇伝』の白蛇の精・白娘子(はくじょうし)。中学生くらいになると、ギリシャ神話に題材をとった、蛇が神官ラオコーンと彼の二人の息子を苦しめている彫刻の傑作があることを何かで、また同じこ

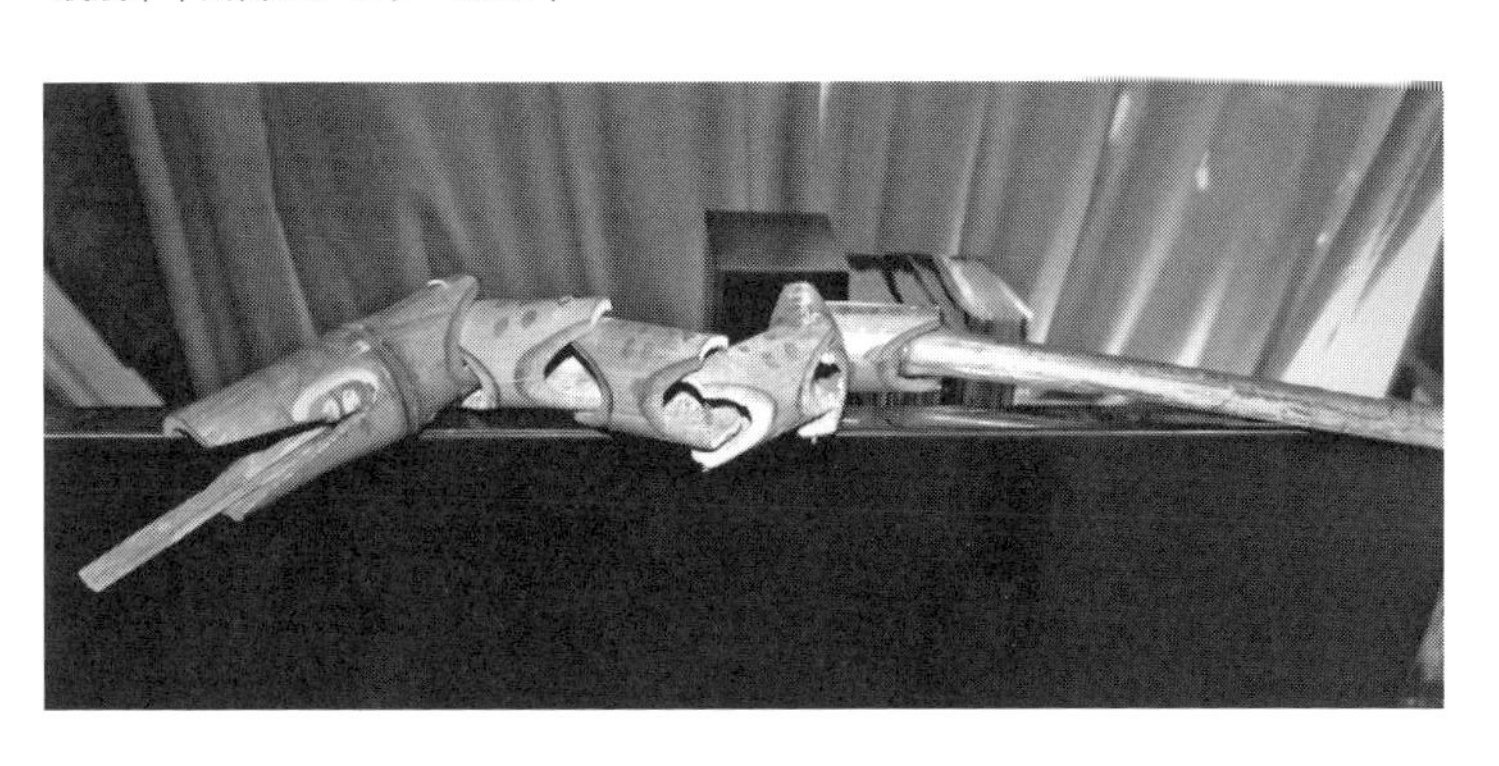

〈一度も脱皮しないで、筆者の書斎の机辺に半世紀以上住み着いている蛇〉

ろに、頭髪が蛇のメドゥーサや下半身が蛇のラミアがいたことを知った。などなど。

現実の世界での私のヘビとの遭遇体験といえば、生まれ育ちが岡山県北部の盆地だったことから、子どものころは近くの山によく遊びに行き、青大将にはしょっちゅう、カラスヘビやヤマカガシやマムシなどにもたまに出くわし、へっぴり腰で石を投げつけたり、棒切れで追っ払ったりしたこと。重さ三百貫の日本三大神輿の一つを有する鎮守の秋祭りで、フーテンの寅さんのお仲間とも知らず、ハブの毒消し売りや白蛇使いのおじさんの実演を最前列で楽しんだこと。

私の人生の第一段階における蛇に関する知識や体験は、こんなところだが、少し自分の世界が広がってくると、蛇に関する私の認識は一変することになる。蛇は脱皮します。古い皮を脱ぎ捨てる脱皮は成長の証(あかし)です。

ギリシャ神話によると、アスクレピオスは、優れた医術で死者さえ蘇らせるほどの腕前であった。死後、彼は天に

〈中央に「アスクレピオスの杖」が描かれたグリーン・カレッジの紋章入りのマグ〉

昇って、蛇遣い座になった。蛇は彼の化身と考えられた。彼は医神として今も医学の象徴である。試みに世界保健機関（ＷＨＯ）の紋章を注意深くご覧ください。平和を意味するオリーブの葉で包まれた地球を背景にして、中央に蛇が巻き付いた「アスクレピオスの杖」が描かれています。

私が、かつて所属していたオックスフォードの医学系大学院グリーン・カレッジ（現・グリーン・テンプルトン・カレッジ）の紋章の中央にも、この杖が描かれています。蛇は知の象徴でもある。

ローマ神話では、マーキュリーが商業・学術の神とされることから、一橋大学の校章には英知の象徴である二匹の蛇が巻き付いた「マーキュリーの杖」が描かれている。私たちも、この蛇の賢さに倣い、今年を経済振興の年にし、福祉の基盤の強化を目指しましょう。

隣国・中国からも一つ。金谷治訳注『孫子』（岩波文庫）から引きます。常山という山にいる蛇・率然は、その頭を打つと、尾が助けに来る。その尾を打つと、頭が助けに来る。その腹を攻撃すると、頭と尾とでいっしょにかかってくる。実に賢い。これに倣ったのが長蛇の陣。

巳年の今年は、蛇に負けない賢さ＝年の功を発揮し、元気に生き抜きましょう。生きているかぎり、加齢は避けられませんが、今年を是非とも脱皮成熟の年にいたしましょう。

## 二〇一三年春　新人に期待する春

第四八代横綱の大鵬幸喜さんが今年二〇一三年一月一九日に亡くなった。寿命が伸び続ける今、七二歳での死は、あまりに早すぎるが、（元）力士としては長命な方であった。彼の好敵手とされた第四七代横綱の柏戸剛さんは一九九六年に五八歳で亡くなっている。柏鵬の前に栃若と並び称された栃錦は六四歳で亡くなっており、初代若乃花が八二歳まで生きたのは例外で、不滅の六九連勝を達成した角聖・双葉山は五六歳で亡くなっている。私の幼馴染みの有木皓は、双葉山の時津風親方に声をかけられ入門。関取寸前でケガのため痛恨の廃業。今は船橋で小料理屋（といっても量がけた外れ―たとえば、おにぎりがバスケットボール大、刺身一切れが普通の店の優に一人前、ステイキは「小」五〇〇グラム・「大」一キログラム―で、味もよい）

〈1個で優に10人分以上あるおにぎり（中央）と1キログラムのステイキ（右下）。会食になると、これらに、各種の刺身、かにサラダ、餃子、鶏の唐揚げ、ちゃんこ鍋、ドーナツまでつき、食べきれないため、いつも残りは持ち帰っていた〉

の親方（二〇一九年急逝）。

「巨人、大鵬、卵焼き」の世代よりほんの少し年長の私は、「柔」の大鵬より、断然「剛」の柏戸が、また栃若より、なぜかツッパリの千代の山が好きだった。大鵬とともに柏鵬時代を盛り上げた柏戸ではあるが、優勝回数や連勝記録などで、大鵬に大差をつけられている。対戦成績でも柏戸の一六勝に対し大鵬の二一勝で、柏は鵬に及ばない。柏戸ひいきとしては、この差は柏戸が力士としての最晩年に大鵬に五連敗を喫したことから生じたものであり、両者の力量は伯仲していた、と強弁したい。それでも、記録上での優劣は歴然としている。なぜか。

どこかで、大鵬が次のような趣旨の発言をしていたのを記憶している―素質的には柏戸に及ばなかったため猛稽古を重ねた。宮本武蔵『五輪書』（岩波文庫）にいう「鍛錬なくては及びがたき所」に到達したのが、努力の大横綱・大鵬だった。

ついでに「永遠に不滅の巨人軍」にも触れておこう。でも王・長嶋（ＯＮ）全盛期のことではありませんよ。栃若時代に重なる一九五六年三月二五日、後楽園球場（東京ドームの前身）で、日本プロ野球史上初の快挙を巨人の選手が成し遂げた。彼の名前を知る人は正真正銘のプロ野球通だ。この日、三対〇の九回裏一死満塁で代打・樋笠一夫登場。ワン・ストライク・ワン・ボール後の三球目の直球を強振。記憶にも記録にも残る「代打逆転サヨナラ満塁ホームラン」を左翼席に放り込む。近年は、スポーツ・メディアによって、さまざまな珍語・珍記録が濫造濫発されており、保証の限りでないが、「代打逆転サヨナラ満塁ホームラン」は、最多最長の修飾語がつくホームランとされているはずだ。この年、樋笠選手が打った本塁打は二本だけ。

樋笠選手は、日本人男性の平均寿命が五八歳だった一九五〇年に三〇歳（今なら四〇歳に相当？）でプロ野球・広島カープに入団後、巨人に移籍し、この一本の本塁打で日本プロ野球史に名を刻んだ個性派。対戦した中日の投手は杉下茂選手。彼の投じるフォークボールは魔球と称され、打者を悩ませたが、彼は投手の基本である直球へのこだわりを持ち続けた正統派で、通算一一年の生涯成績は二一五勝一二三敗。大投手の一人。

この春から新しい世界での挑戦を始める老若男女の「新人」諸君が、どのような記録を作ってくれるのか、とても楽しみだ。

## 二〇一三年夏　突発性記憶覚醒症候群ＹＭ型

加齢とともに、前日のことさえ思い出せないことがあって、愕然とした経験をお持ちではありませんか。認知症の初期症状でなければ、幸いなのですが、私の場合、前夜の夕食のおかずがなんであったか思い出せないことがあったりします。それでいて、こうした日常的な物忘れの多さや激しさとは対照的に、遠い過去のことが、ふとしたきっかけで鮮明に蘇ってくることがあります。医学界ではこうした症状をどう呼ぶのか知りませんが、私は「突発性記憶覚醒症候群ＹＭ型」と名付けて、結構楽しんでいます。ＹＭは私のイニシャルです。

最新の症例を一つ紹介します。ゾッとするお化けは夏の風物詩。子どものころ映画館で幽霊に何度か出会ったときのことを、先日ふと思い出しました。牡丹燈篭のお露さん、番町皿屋敷のお菊さん、四谷怪談のお岩さん。正体は、順に田代百合子、津島恵子、若杉嘉津子。美女がお化けになって、うらめしや！当世風にいえば、コワオモシロカッタ。若杉さんが豊志賀（お累）役の「怪談かさねが淵」も見ました。後に知ったことだが、中川和夫監督作品の「東海道四谷怪談」は、この分野における最高傑作だとか。でも、怖かったのは、何といっても、入江たか子さん主演の化け猫映画だった。今にして思うと、子どもだましの化け猫だったのだが、子どものころから、まず夢を見ない、見ても（？）覚えていない私が、化け猫の夢だけは何度か見て、夜中に目を覚ましたことが、突然蘇ってきたのです。

ところで、現代を代表する幽霊―愉快な漫画のオバケのQ太郎や角川ホラー文庫版の小説（鈴木光司）・映画（日本・韓国・アメリカ）・ドラマ（テレビ・ラジオ）の「リング」に登場する不気味な山村貞子―には、季節感皆無です。なぜでしょう？ 東洋大学の創立者で妖怪博士・お化け博士と呼ばれた井上円了の『妖怪学講義』や墓場の鬼太郎の生みの親・水木しげるの『図説日本妖怪大全』などにあたると、手がかりをつかむことができますかね。

ふとしたきっかけといえば、上田和夫訳『小泉八雲集』（新潮文庫）をたまたま最近読みました。彼の『怪談（*Kwaidan*）』の中に入っている「耳なし芳一」や「雪おんな」の話のあらすじは、年金受給世代の大方が知っているはずだが、原作を読んだ人はそう多くないかもしれない。私は、この本を読んで、小泉八雲ことラフカディオ・ハーンに対する認識を改めました。今から一〇〇年以上も前の日本に、彼のような外国人がいたのですねえ。この本では、むろん時代的な制約はあるものの、優れた日本文化論・日本人論が展開されています。

また彼は、社会学者ハーバート・スペンサーを引用して、「最高の個性化は、最大の相互依存をともなわねばならない」と述べています。これなんぞわれら年金受給世代にぴったりの警句ですね。「後生畏（こうせいおそ）るべし」と並べ、「先人畏るべし」と『論語』に追記したいほどです。若者よ、先人をゆめ侮るなかれ。

# 二〇一三年朱夏　追悼　ドクター・ギャザラー　欧洲の政風人情

福沢諭吉『改訂　福翁自伝』（岩波文庫）「欧羅巴(ヨーロッパ)各國に行く　歐洲の政風人情」には、「外國政府の仕振りを見れば……（中略）……無理難題を仕掛けて眞實困って居たが、其本國に來て見れば自から公明正大、優しき人もあるものだ……」とのヨーロッパ諸国に対する印象が記されています。この福翁の二度目の洋行より少し前の、一九世紀前半のイギリスでの話です。

当時のイギリスを代表する国民作家ともいわれ、社会評論家でもあったチャールズ・ディケンズの代表作の一つ『オリバー・ツィスト』は、日本でも何種類かの翻訳が出版され、海外ではたびたび映画化・ミュージカル化されています。この作品の導入部で、自らの体験をまじえて活写された救貧院の悲惨な状況が多くの人びとの注目を集めるところとなり、イギリス福祉国家揺籃期における政策論議・制度改革に多大な影響を与えました。また、ディケンズとほぼ同じ時代に活躍した歴史家であり、評論家でもあったトマス・カーライルは、その著『過去と現在』（上田和夫訳『カーライル選集　Ⅲ』日本教文社）の中で救貧院を「救貧法に基づく牢獄」「救貧法のバスティーユ監獄」と明言しています。こうしたことからも、日本語では「救貧院」と訳される、この文字面からは貧困者救済福祉施設のように思われがちな救貧院（workhouse／poorhouse）が、どのようなものであったか、想像できるでしょう。救貧院は、犯罪者予備

〈青梅市の老人ホームを訪問した後、同市吉野梅郷でくつろぐDr Alex Gathererと筆者：1998年3月〉

軍を内包する極貧層を社会から隔離する施設でもありました。日本では、かの鬼平こと火付盗賊改役・長谷川平蔵の献策で寛政年間に開設された加役方人足寄場が、救貧院に近い施設といえましょう。

時間は現代に飛びます。私の二〇年来の共同研究者にして友人であったアレックスことドクター・アレグザンダー・ギャザラーが、二〇一三年八月六日に八四歳で遠く旅立ちました。彼は、公衆衛生の行政官・研究者として福祉国家イギリスの象徴ともいうべき国民保健サービス（NHS：National Health Service）に長年勤務し、一九九四年にNHSを退くまでの後半の二〇年間は、オックスフォード大学のグリーン・カレッジとウルフスン・カレッジにも所属して、行政と研究教育の両面から公衆衛生の改善に尽力しました。今日ではかなり状況が変わったようですが、かつてイギリスでは最も優秀な医学生が公衆衛生を専攻していた、という話を耳にしたことがあります。きっとアレックスもその一人だったのでしょう。彼は、公衆衛生、とりわけ受刑者の健康の改善に関する調査研究によって、イギリス国内外で多くの栄誉に浴しています。

その彼と私は不思議なめぐり合わせで、ドクター・イガこと五十嵐眞博士—偶然にもドクター・イガとアレックスは誕生日が同じで、ドクター・イガが一歳年長—の全面的な協力支援を得て、一〇数年間にわたる「健康と福祉」に関する学際的な日英比較研究プロジェクトを立ち上げることになり、その成果を『二一世紀の地球と人間の安全保障　健康と福祉』（英語版：*Security of the Earth and Mankind in the 21st Century: Health and Welfare*）ほか三冊の共同研究報告書として刊行しました。

数年前（二〇〇八年）にアメリカでの刑務所民営化を背景にしたアンジェラ・デイヴィス（上杉忍訳）の『監獄ビジネス―グローバリズムと産獄複合体―』が岩波書店から刊行され、少し注目されましたが、映画にかぎらず、日本では刑務所が話題になることは通常ありません。私も、日本に官民協働方式による「民活」刑務所があることを知ってはいたものの、刑務所の実情や受刑者の健康と福祉については視野に入っておらず、したがって問題意識を持つことすら事実上ありませんでした。それが、アレックスとの研究交流を通じて、徐々に変わってきました。というのも、アレックスが、ＮＨＳ退職と前後して、世界保健機関（WHO：World

Health Organization）が一九九五年に策定した「ヨーロッパの監獄における健康計画」（European Health in Prisons Programme）に当初から助言者として参画し、受刑者の健康と福祉の改善に力を尽くしてきていたからです。そして、その取り組みの一端を、折に触れて私に語ってくれていたからです。

アレックスは、WHO Regional Office for Europe（WHO欧州地域事務局）から二〇〇七年に出版された*Health in prisons: A WHO guide to the essentials in prison health*（『監獄における健康―WHO監獄における健康の最重要事項の手引』）の編者の一人でもあります。ただ残念ながらアレックスから監獄における健康について多くを学ぶ前に、彼が旅立ってしまいました。私はイギリスに多くの「冷めた頭（クール・ヘッド）に温かい心（ウォーム・ハート）」の友人知己をもっていますが、なかでもアレックスは、情に厚く、映画では「寅さん（男はつらいよ）」シリーズ、歌謡曲では「霧の摩周湖」が大好きで、容貌が少しばかり似ていたことから映画評論家の（故）淀川長治さんの従弟を名乗る、日本びいきの英国紳士（イングリッシュ・ジェントルマン）―厳密にはスコティッシュ・ジェントルマン―でした。

現役生活後半のおよそ二〇年間にわたるドクター・ギャザラーとの楽しい知的刺激に満ちた交流によって「冷めた頭に温かい心」の大切さを再確認した次第です。アレックスに心から感謝をささげ、彼の冥福を祈ります。

## 二〇一三年秋　辛抱元年

十年一昔とすれば、四〇年前は昔昔昔昔となり、「昔昔、あるところに、おじいさんとおばあさんが住んでいました」で始まるおとぎ話の時代よりも倍も昔、神話の時代ということになりそうですが、タイム・トンネルをくぐり抜け、四〇年さかのぼると、そこは一九七三（昭和四八）年の日本国。

この年、私が数年前から関係している東京都年金受給者協会が設立されました。人間でいえば、東京都年金受給者協会は今年（二〇一三年）「不惑」を迎えたことになります。不惑は、「自信を得、自己の向っている方向が、人間の生活として、妥当なものであることを、確信する」（吉川幸次郎『中国古典選　3　論語　上』朝日新聞社文庫）年齢です。

創設以来、多くの先人が、会員相互の親睦と会員の健康と福祉に役立つ活動を熱心に展開され、協会がめでたく設立四〇周年会を迎えたことは、とても喜ばしいことですが、高齢者の増加とは裏腹に、会員数が年々減少していることが、非常に残念です。あのころ日本列島改造を唱え、「数は力、力は金だ」と豪語した庶民宰相の末路は惨めでしたが、間違いなく「数は力」になりえます。

ちょうど四〇年前に日本が高度経済成長の絶頂から奈落の底に転落したことを鮮明に記憶さ

れている方は多いはずです。一九七三年一〇月に勃発した第四次中東戦争のあおりを受け、日本は深刻な石油危機を迎え、多くの人びとを買い溜めに走らせることになりました。その背景には大手商社などによる買い占めや興味半分に煽り立てるマス・メディアの報道などもありました。あの狂乱ぶりを、文豪オノレ・ド・バルザックが目にしたならば、『人間喜劇』に「日本編」が加わり、ひょっとすると、主人公のモデルに、あなたがなっていたかもしれません。

この年を、政府は「福祉元年」（一説に福祉零年）と名づけ、公的年金への物価・賃金スライド制の導入や老人（七〇歳以上）医療費無料化など、社会保障関連のさまざまな改革を行いました。当時の日本人の平均寿命は男七一歳弱・女七六歳強で、一人の女性が一生の間に産むとされる子どもの数を示す合計特殊出生率は二・一四でした。いずれの数値をとっても、人口減少・少子高齢社会といわれる今日とは隔世の感があります。

ベトナム戦争が終わったこの年の春、私は、友人たちに遅れること五年、ようやく授業料を納める身から脱したばかりでした。当時流行の未来学に懐疑的で、不勉強でもあった私は、三〇数年後に年金受給者協会の会長を仰せつかることになろうとは、むろん夢にも思いませんでした。昔昔昔昔の物語です。

光陰矢のごとし。今年は福祉四一年のはずだが、それが非情な負担増大・給付削減の「辛抱元年」になろうとは、遺憾千万。

## 二〇一四年冬　天馬空を行く

今年は午（馬）年。話の種が少なくて苦労しなかった虎や兎や龍や蛇と比べ、馬にちなむ話の種は、浜の真砂ほどではありませんが、とても多くて難儀しました。私家版・馬人列伝で取り上げたい、神仏を含む実在の人物と架空の人物を順不同で並べてみます。

釈迦牟尼、馬頭観音、アキレウス、ベレロフォン、イエス・キリスト、ベン・ハー、諸葛孔明、馬謖、馬騰、馬超、司馬懿、司馬遷、アーサー王、ランスロット、厩戸王（聖徳太子）、蘇我馬子、エル・シド、アイバンホー、シンデレラ、佐々木高綱、梶原景季、源義経、那須与一、チンギス・カン、エドワード黒太子、ジャンヌ・ダルク、ウイリアム・シェイクスピア、ドン・キホーテ、武田信玄、上杉謙信、織田信長、豊臣秀吉、徳川家康、明智左馬之助、島田勘兵衛、クリス・アダムズ、白馬童子、渡辺数馬、八百屋お七、中山（堀部）安兵衛、滝沢馬琴、曲垣平九郎、坂本竜馬、ナポレオン・ボナパルト、ジェロニモ、コチーズ、デイビー・クロケット、ジム・ボウイ、カスター将軍、ビリー・ザ・キッド、リンゴ・キッド、ジェシー・ジェイムズ、ワイアット・アープ、ドク・ホリデイ、シェーン、ローン・レインジャー、ゾロ、倉田典膳（鞍馬天狗）、嵐寛寿郎、秋山好古、昭和天皇、張作霖、伊達麟之助、栗林忠道、西竹一、有馬頼寧、保田隆芳、野平祐二、大川慶次郎、エリザベス女王、チャールズ皇太子、ディック・

フランシス、永田雅一、浅田次郎、武邦彦、武豊、安藤裕、ジョン・フォード、黒澤明、ゲイリー・クーパー、ジョン・ウエイン、三船敏郎、マリリン・モンロー、ローラ・エリザベス・インガルス、三橋美智也、藤田まこと、金原亭馬生、馬場のぼる、ジャイアント馬場、星飛雄

〈インドネシア・ジャカルタの公園の馬車乗り場：2007 年 1 月（上）／ロンドンの騎馬警官：2004 年 8 月（下）〉

馬、ロッキー・バルボア、日馬富士（安馬）、高田保馬、馬場啓之助、木下順二、塩澤修平。

まだまだ続けることもできますが、本題に入ります。気ままに列挙しただけでも、聖界俗界、古今東西、性別や分野や領域を問わず、これだけの神仏や人間が何らかの形で馬と関わりをもってきています。ということで、私は、午年の今年を、精いっぱい楽しみながら、天馬空を行くがごとき年にしてやろう、と考えています。

新村出編『広辞苑　第六版』によると、「天馬空を行く」とは、「天馬が思いのままに空を駆けめぐるように、考え方が自由奔放であるさま」とあります。「桂馬の高上がり（桂馬の高跳び歩の餌食）」になっては困りますが、「人間万事塞翁が馬」。アベノミクスに踊らされることなく、精神の自由を謳歌し、心身の健康を保持して、負担増・給付減にくじけず、大学同期の自由人にしてフリー・アナウンサーの小林節子君にならって「みんな元気！」（東京都年金受給者協会創立四〇周年記念講演『とうねんパートナー』№１８６）に生き抜きましょう。

とここまでPCに入力して、ふと競馬好きだった菊池寛の随筆に「無事之名馬（ぶじこれめいば）」があることを思い出しました。これぞ突発性記憶覚醒症候群ＹＭ型の症状です。もう一つ、内容はまったく異なる同名の作品、神坂次郎『天馬空をゆく』（新潮文庫）と冥王まさ子『天馬空を行く』（河出文庫）があることを思い出しました。どちらもとても面白いですよ。だまされたと思って読んでみてください。

## 二〇一四年春　一九六四年春

東京での二〇二〇年のオリンピック開催を無邪気に喜んでいる人たちがいます。私がオリンピックで唯一関心があるのは、いつアフリカ・カリブ系の選手が、水泳競技で、また冬季オリンピック種目で、金メダルを取るかだけ。競技スポーツは心身の健康に「?」で、大規模関連施設の建設とその維持に巨額の資金を要し（実は浪費し）、しかも大行事終了後は、施設の遊休不良資産化の可能性さえあります。オリンピックで潤うのは誰だ！

皆さんご存じですか? 二〇〇〇―二〇一〇年の一〇年間に高齢世帯生活保護受給者数が倍増し、七四万人に達したことを。

昨年の東京都年金受給者協会四〇周年記念大会での講演を通じて、「みんな元気！」をもらった小林節子君は、栄養学者の川島四郎さんから「動物は自分の健康のためには運動しない」と教わったそうです。そういえば、当代屈指の博覧強記の文人だった丸谷才一さんは、「運動を一切しないのが（頭の?）健康の秘訣」と文化勲章受章直後に語っていましたね。

東京でオリンピックが開催された五〇年前の一九六四年春、私は大学生になり、ザリガニ釣りができる田んぼが残っていた、横浜のはずれで初めての下宿暮らしを始めました。私が受験した大学の入学願書には入学後に履修を希望する第二外国語記入欄がありました。私は、アナベラ、シモーニュ・シニョレ、ジャンヌ・モロー、アヌーク・エーメ、ブリジット・バルドー、ミレーヌ・ドモンジョ、パスカル・プティ、マリ・ラフォレ、などの美女を銀幕上で知っていただけの理由でフランス語を選択して受験。運よく合格。入学すると、クラス担任が、今の私とほぼ同年配だったフランス語の先生で、私たち新入生の目にはずい分お年寄りに映りました。最初の授業での先生の自己紹介―「イドの井」「クミトリの汲」「セイソウの清」「メイジの治」。我が名を「汲取り」（今や東京ではむろん、おそらく全国的にほぼ死語）や「清掃」に結びつける機知（エスプリ）に、私は驚きました。もっと衝撃的だったのは、その後で先生が教壇から下り、机と机の間の狭い通路に投げ捨てられていたタバコの吸い殻を、黙って拾い始められたことです。モク拾い（全国的に死語）を終えて、先生がおっしゃるには―灰皿のない所で煙草を吸ってはならない。投げ捨てられた煙草の白い巻紙はよく目立ち、目障りだ。火事になるおそれもある。また食前食中に煙草を吸ってはならない。舌が荒れ、味覚が損なわれるから、料理を作ってくれた人に対して失礼だよ。

先生の自己紹介と吸い殻拾いを記憶している（旧）級友は多い。だが肝心のフランス語はといえば、フランス製の教科書・通称『モージェ』の青版（ブルー）と赤版（ルージュ）として知られるガストン・モージェ『フランスの言語と文明に関する講義』（Gaston Mauger, *Cours de Langue et de Civilisation Françaises*）が、挿絵入りとはいえ、日本語での解説皆無の古典的名著で、私には珍糞漢糞（チンプンカンプン）。悪戦苦闘の二年間。「イドの井」と『モージェ』は、我が青春の忘れ難くほろ苦い思い出です。卒業後ずいぶん経ってから、先生が発禁本『ふらんす物語』ほかで知られる反骨の戯作者・永井荷風に連なる知る人ぞ知る文人であったことを知った。井汲清治先生が天寿を全うされたのは、卒寿を過ぎた一九八三年のことでした。

## 二〇一四年夏　夏の夜の夢

加齢とともに起こりがちな現象や症状は実にさまざまです。私の悩みの一つは、眠りが浅くなりがちで、五―六時間眠ると、目が覚めてしまうことです。同年配の友人や知人の多くは、夜中に頻繁に目を覚ましたりもしているようですから、それに比べると、私の症状は軽症の部類に入りそうです。それと、ほとんど夢を見ない、正確には見ていても目覚めたときには覚えていない、という特技?を持っていますので、私の場合は、案外深い眠りの時間が長いのかもしれません。唯一の問題は、ときどき陥っているらしい睡眠時無呼吸症候群ですが、勝手に軽症と判断し、気に病むことなく暮らしています。

そんな私が、先日、夢を見ました。私は、夢の中で著名な歌人になっており、名作ならぬ迷作を次から次へと詠んでいくのです。その数二二二首。それらすべてを目覚めたときにしっかり覚えていましたから驚きです、というのは真っ赤な嘘で、本当のことをいえば、ふとしたきっかけで湧くがごとく浮かんできた、迷作というのも憚られる駄作を書き連ねたところ、二二二首になった、というのが真相です。すべてをご紹介できないのが残念至極。迷惑千万千辛万苦かもしれませんが、いくつかご披露いたします。相当刺激が強い作品？もあります。弱気なお方や病気療養中のお方や身近にご不幸がおありだったお方などは、お読みにならないでください。題して「夏の世の夢」。シェイクスピアから歌集？の題だけ拝借しました。

古稀迎え　何にたとえんわが頭　毛盛りはうすし桜島山
古稀迎え　かすみ目腰痛手のふるえ　もはや仕事もならぬ衰え
傘寿すぎ　年金暮らしも楽じゃない　奇数月には無収入
傘寿すぎ　年金暮らしも楽じゃない　毎日元気に病院通い
傘寿すぎ　年金暮らしも楽じゃない　毎日チラシで特売探し
傘寿すぎ　年金暮らしも楽じゃない　朝から晩まで女房孝行
傘寿すぎ　年金暮らしも楽じゃない　孫の入学へそくり激減
傘寿すぎ　年金暮らしも楽じゃない　値上がり増税給付削減
米寿すぎ　いずれ全員要介護　施設に入って折り紙お絵かきお歌にお遊戯
米寿すぎ　いずれ全員要介護　介護士イケメン婆ご満悦
米寿すぎ　いずれ全員要介護　看護師美人で爺やにさがる
米寿すぎ　いずれ全員要介護　呆けたふりしていい放題し放題

米寿すぎ　いずれ全員要介護　達者自慢に人はいやがる
人ならば　いずれ誰もが旅立つ定め　美田残して家族崩壊
人ならば　いずれ誰もが旅立つ定め　空即是色バイアグラ飲む
人ならば　いずれ誰もが旅立つ定め　心残りは忍ぶ恋だけ
人ならば　いずれ誰もが旅立つ定め　旅立つ日には足腰たたぬ
人ならば　いずれ誰もが旅立つ定め　酔生夢死でお迎えを待つ
人ならば　いずれ誰もが旅立つ定め　心機一転延命治療
ついに来た　永眠暁を覚えず　処々に聞く不死鳥の啼くを
ついに来た　いずれ誰もが閻魔の前　ひたといい出すお袋の事

## 二〇一四年朱夏　イギリスのビール文化

イギリス人の生活に欠かせないもののなかで、日本人に評判のよくないものの一つに、常温に近い温度で飲む、日本人の感覚からすると「生ぬるい」イギリスのビールがある。その多くは、もともとは、日本でいえば「生」の地ビールで、地域住民が、地元の行きつけのパブ（居酒屋）で、その常連である隣人・友人・知人などと、ときに二―三時間も談笑する際に欠かすことができないのが、一パイント（〇・五六八二六一二五リットル）、あるいは数パイントのビールであった。つまり地域社会における（男の）生活にパブとビールは密着していて、アルコール度・味・色・泡立ちなどが、地域地方ごとに微妙に違っていた。今でも、この伝統は受け継がれているが、ビールの保存方法の進化、輸送手段の発展、などによって、かつてのビールが持っていた地域性が薄れてきている。ほんの二〇―三〇年ばかり前には、缶ビールの大方は、アメリカやヨーロッパ大陸の銘柄のもので、種類も非常に限られていたが、今では、酒類販売店に足を運ぶまでもなく、日本と同じようなスーパーマーケットや日本とは異なるイギリス風のコンビニエンス・ストアの商品棚に、おそらくかつては醸造所がある土地の住民だけが楽しんでいたであろう地ビールの銘柄の缶ビールが、相当種類並んでいる。

そうした缶ビールのなかに、面白い仕掛けのある銘柄が数種類ある。その仕掛けとは、プラスティック製のコマで、これが缶ビールの中に入っている。このコマによって、ビールの泡立ちが非常に繊細になる。コマが入っている缶ビールの泡は、最後までキメ細やかさが持続する。

二度目のイギリス長期滞在を始めて一月ばかりたった二〇〇四年四月のある日、偶然、「コマ入り」の缶ビールを買った。もちろん買った時点では、コマ入りであることなどまったく知らなかったし、小さな文字の「コマ入り」（Floating widget inside）の表示に気付かなかった。ビールをコップに注ぐと、カラカラと音がする。缶の中に異物でも入っているのか、と最初は不審に思ったこともあったが、味に違和感があるわけではなく、その銘柄の缶すべてに何か入っているらしいので、少なくとも異物が混入しているのではなさそうだ、と一人合点し、深く詮索しなかった。しかし「何が入っているのだろう?」「何のためだろう?」程度の疑問が、その後しばらく頭の片隅に残っていた。

そんなとき、別の銘柄の缶ビールを買った。このビールも、コップに注ぐたびに、カラカラと音を立てる。そこで、ビールを飲み干した後、注ぎ口から缶の中をのぞいてみると、注ぎ口からは絶対に出てこない大きさの、半透明のプラスティック製の何かが入っているところまで、確認できた。しかし正体は依然として不明である。缶を切り裂いて、正体を突き止めることにした。すると、缶の中からプラスティック製のコマが出てきた。

イギリスのビールは、基本的にあまり泡を重視しない醸造法をとっているようで、パブでのカウンター越しに、ビールを注文した際に、グラスの上部に泡がたくさんあると、スプーンなどで、この泡を取り除き、その分だけビールを継ぎ足してくれる。したがって、パブで飲むイギリスのビールには、最初から、ほとんど泡の部分はない。あっても、ほんの少しで、すぐ消える。そんなことから、それまでイギリスのビールの「泡」にはあまり注意を払わなかったため、コマの効用に気づくのが遅れたわけである。

缶を解体し、中身（コマの構造）を確認した後、これは、泡立ちを調整するための仕掛けらしい、と気付いた。あらためてコマ入りの缶ビールを買い求め、「実験」すると、果たして、きれいな泡立ちが最後まで続くことを確認できた。こうした泡立ちは、イギリスのビールの伝統に反するようだが、これはこれで見た目も美しく、おいしく飲むことができる。誰が思いついたことかわからない。特許でもとっているのだろうか。機会があれば、調べてみたい。イギリスのビールについて精通すれば、イギリスの社会・文化・歴史などについても、幅広く奥深い知識が身につくかもしれない。

知る限りでのイギリスの缶ビールの容量は、四四〇ccと五〇〇ccで、五〇〇cc缶のものには、一三・五パーセント分のおまけ付き（四四〇cc分の値段で五〇〇cc入り）のものが、いくつかある。二〇〇八年になって知ったことだが、日本で販売されているアイルランド原産の缶ビールにもこのコマ（floating widget）が入っている。そもそもこのコマを開発したのが、ギネス・ブックで有名なアイルランドの醸造業者とのことである。

イギリスでは、全国のパブを網羅した数種類のガイドブックが毎年発行されている。かなり古いものになるが、手元にある英国自動車協会発行の *The Pub Guide 2004*（『パブ案内二〇〇四年版』）には、北アイルランドを除くイギリスの二五〇〇軒を超えるパブとパブを持つレストラン・宿泊施設に関する地域別の詳細な情報が、地図付きで、七〇四ページにわたって掲載されている。また、古いパブには、店の歴史などを記した無料の小冊子をおいているところもある。私も何冊か持っているのだが、どこかに、何かに紛れ込んで見つからないため、残念ながら紹介できない。ビールの銘柄では、オックスフォード近郊にあったスポーツ・カーMGの工場ゆかりのOld Speckled Henが極上。残念ながら、日本では飲むことができない。もう一つ付記しておこう。一九九〇年代初め、少なくとも一九八〇年代までは、イギリスのビー

〈コマ入りの缶ビールとコマ（左右の二本は 440 ml 入り・真ん中は 530 ml 入り）：2004 月 4 月（上）／スーパーマーケットで売っているお気に入りのサンドウィッチとビール：2008 年 8 月（下）〉

ルの銘柄には、それぞれ紙製のマグ・グラス敷き（コースター）があり、一時期、これらを集めて楽しんだ。

## 二〇一四年秋　「見解の相違」などない話

おごれる権力者たちが、集団的自衛権の行使を容認する閣議決定を今年（二〇一四年）七月一日に行いました。社会保障と税の一体改革とは比べものにならないほどの危険な意思決定です。彼ら彼女らは、いざ集団的自衛権を行使する段になると、さまざまな理由を設け、もっとも安全な場所にいち早く避難退避して、命令を下し、号令を掛けるだけで、前線に立って戦うことはきっとないでしょう。愚かで危険な閣議決定によって戦争に巻き込まれる日本国民はいうまでもなく、世界市民全体が、大きな犠牲を強いられる可能性が一段と高まりました。

世界地図をご覧いただきたい。極東の狭小な高齢化大国・日本が今世紀を生き抜くための国是は、非戦不戦避戦！　軍事行動絶対反対！　非武装非暴力！　絶対平和主義！　これ以外にない。

夏以来「平和と戦争」「生と死」について本気で考えています。空疎な大和魂と甲斐なき神風頼みとで本土決戦を叫ぶ者たちもいて、極限状況にまで追い詰められたところに、今に至るもその後遺症に苦しむ人たちが多数いる人類史上初めての二発の原子爆弾投下。これで、ようやく無条件降伏をした無残な歴史の教訓を、かの人たちは何と考えているのだろう。

〈ハワイ真珠湾の海中海面に残る戦争の傷跡〉

「（昨日？）そんな遠い過去のことは覚えていない」というセリフは、反ナチス映画の決定版にして最上のラブ・ロマンス「カサブランカ」でハンフリー・ボガート演じるリックが口にしてこそ様になる。政治的に責任ある立場にいる人たちは、あの悲惨な自由なき戦前・戦中・戦後の状況をゆめゆめ忘れてはならないはずだ。集団的自衛権の発想は、日独防共協定・日独伊防共協定に続く日独伊三国同盟とは、時代背景も異なれば、内容も違っているとはいうものの、その危険性において同断です。

戦争には、正戦も義戦も聖戦もなく、戦争は、すべて愚にして悪です。この点に関しては「見解の相違」などありえない。

「祖国存亡の秋（とき）、諸君は頽勢挽回（たいせいばんかい）のため決死の覚悟で海軍に志願してくれた、いまこそ、その諸君の志を活かす秋が到来した」「戦局を一変させるべく、帝国海軍では、この度、必死必中の兵器を動員することになった。それに伴って、その兵器への搭乗員を諸君たち練習生の中から募るよう要請があった」「司令は、大義に殉じようとする者の志願を待つが、これは全く諸君たちの自発的意志に任せることである。但し、長男と一人息子の者は除外する」「全員、目を閉じよ。よく考えた上で、志願する者は一歩前に出るように」（城山三郎『一歩の距離　小説予科練』角川文庫）。このような「自発的意志」決定が二度と求められてはならない。

櫻井忠溫『肉彈　旅順實戰記』と並び、明治戦争文学の白眉とされる海軍大尉・水雷艇長・水野廣德『此一戰』の本文は、「兵は凶器なり」で始まり、「国大と雖も、戦を好む時は必ず亡び、天下安しと雖も、戦を忘るゝ時は必ず危し」と結ばれている（木村毅編『明治戦争文学集　明治文学全集　九七』筑摩書房）。大日本帝国は水野の予言どおりに引導を渡された。

## 二〇一五年冬　吉祥が重なる乙未

今年二〇一五年の干支は乙未。日本人の多くが、羊から連想するのは、おそらく「可愛さ」「優しさ」「暖かさ」などでしょう。漢字の羊は、祥つまり吉祥に通じる、めでたい字で、羊を含む漢字で小学生でも知っているのが善と美。ともに芯が通り、左右対称で、均整がとれています。熟語の善美は立派で美しいこと。善美は善男善女共通の名前でもある。

イギリスには四季を通じて緑のなだらかな丘陵が多く、羊がのどかに草を食んでいます。そしてイギリスの最大の魅力の一つが、この田園の美しさと古いパブ。羊は、「ゆり籠から墓場まで」を掲げ、福祉国家の建設に取り組んだイギリスの象徴、ともいえそうです。

福祉国家といえば、もちろん社会保障。その社会保障が、今年二〇一五年、めでたく傘寿を迎えます。といっても、アメリカ合衆国での話です。両大戦の谷間で世界が不況にあえいでいた一九三五年に歴史上初めて社会保障法を制定した名誉ある国が、アメリカです。にもかかわらず、今に至るもアメリカには、公的医療保険に加入できない人びとが数千万人もいます。日本を含む豊かな社会の中で、社会保障の整備が最も遅れた貧富の格差大国、それが今のアメリカです。

もっと問題なのは、そのアメリカを手本にした、としか思えない、高齢者を標的にした反福

〈オックスフォード郊外で放し飼いされている羊〉

祉的な社会保障制度改革が、近年、日本で強行され続けていることです。社会保障制度の改革に痛みが伴うにしても、それが、社会経済的な活動機会が極度に狭まっている高齢者・年金生活者に集中したのではたまりません。古今東西、弱い者いじめがよくないことは、子どもでさえ知っている。私はキリスト教徒ではありませんが、共同訳聖書実行委員会『聖書　新共同訳　旧約聖書続編つき』(日本聖書協会)の「箴言」は、「弱い人を搾取するな、弱いのをよいことにして」と諭しています。

戦後七〇年、今年は平和国家・日本が古稀を迎える、めでたい年でもあります。古稀を前にしての日本国憲法第九条のノーベル平和賞受賞はなりませんでしたが、九条の理念は日本国が続く限り大切にしなくてはなりません。集団的自衛権など論外です。

「日本国憲法 第九条　日本国民は、正義と秩序を基調とする国際平和を誠実に希求し、国権の発動たる戦争と、武力による威嚇又は武力の行使は、国際紛争を解決する手段としては、永久にこれを放棄する。②前項の目的を達するため、陸海空軍その他の戦力は、これを保持しない。国の交戦権は、これを認めない。」

ロボットという言葉を考案したチェコの作家カレル・チャペックの『イギリスだより』（ちくま文庫）は、羊がたびたび登場する、とても楽しい本です。一部を少し改変して紹介します。

「イギリスでは、どこへ行っても羊がいる。湖水地方の羊は特別な縮れ毛をしていて、天国にある祝福された魂を思い出させる。最も美しい子どもと、最も生き生きした老人たちを作り出すことができた国は、涙の谷である現世の中で、最もよいものをもっている。愛らしいものを「ディア（いとおしく）・オールド（古い）」と呼ぶイギリス。住む人びとも、いかに美しく堂々と老いるべきか、その秘密を発見した国だ。」

日本流に、しなやかに飄々（ひょうひょう）と。これが私の今年の目標です。

## 二〇一五年春　行雲流水

昨年二〇一四年の大晦日に、学生時代に寮生活を四年間送った三田（旧・港区三田小山町）の古刹・浄土宗永昌山龍原寺に除夜の鐘を撞きに出かけました。十数年ぶりのことでした。その往路の車中でのことです。小田急線成城学園前駅で各駅停車から急行に乗り換えました。たまた乗り移った位置が優先席の前で、優先席に若いお母さんと小学校低学年と思しき可愛い女の子が並んで座っていました。二人は同時にさっと立ち上がり、「どうぞ」と私に声をかけてくれました。私は事態をよく理解できないまま反射的に言葉を返しました。「ありがとうございます。すぐ降りますから、そのままかけていてください。」この素敵な親子は、それでは、という様子で座り直しました。

近年、電車やバスや路上などで不快な思いをすることが多く、一年のしめくくりが心温まるものになりました。そして、ものの数分もたたぬうちに唖然愕然茫然慄然。車中で席を譲ることはあっても、譲られ（かけ）たことなど、それまで一度もありませんでした。ありがたく喜ぶべきか、嘆き悲しむべきか。大きな宿題を抱えて、鐘を撞き、新年を迎えました。

その後しばらく、友人や知人に会うたびに、この話をすると、同年輩の多くは同様の経験をしていて、感想も似たり寄ったり―お互い年だから……。少し慰められはするものの、いまだに釈然としないものが頭の片隅に残っています。こうしたことから、今年は車中で、年寄りの冷や水にならない程度に「しなやかに飄々と」席を譲ることを心がけ実践しています。年が明けて、およそ三カ月が経過し、この間「席を（譲られたのではなく）譲った」実績は三度。月一回の割合です。

江戸時代の中期から後期にかけて自由闊達に生きた食えない禅僧に仙厓義梵（せんがいぎぼん）がいます。ご存じの方も多いことでしょう。東京・丸の内にある出光美術館には彼の書画が多数所蔵されてお

〈2015 年 11 月に多くの友人・知人に日本大学商学部の食堂で幸せな退職（2015 年 4 月 30 日）を祝ってもらった筆者（ともに写真中央）：下の写真の左から 2 人目の有木皓と右端の松田賢の 2 人の幼なじみは、2019 年と 2021 年に相次いで旅立った〉

り、ときどき展示されます。入場料一〇〇〇円が安いか高いかは別にして、一見の価値があります。彼の作品の中から私がとても気に入っている彼の狂歌の一つを抜き書きで紹介します。

題して「古人の哥（うた）」。

しわかよるほ黒か出ける腰曲る
頭まかはけるひけ白くなる……
手は振ふ足はよろつく歯は抜る
耳はきこへす目はうとくなる……
聞たかる死とむなかる淋しかる心は曲る欲深ふなる
くとくなる気短になる愚ちになる……
でしやはりたかる世話やきたかる……
達者自まんに人はいやかる

間もなく、私は四〇年あまり務めた職場を去ると同時に古稀を迎えます。さて「余生」をどう過ごすか。坂本龍馬は「何をくよくよ川端柳　水の流れをみて暮らす」と詠（うた）ったそうですし、仙厓さん（そして一休さん）の最後の言葉は「死にとうない」（堀和久『死にとうない　仙厓和尚伝』。新潮文庫）だったとか。私も、肩の力を抜いて。ゆっくりまいります。

## 二〇一五年夏　花火とスイカ

近ごろ何かと高齢者に対する風当たりが強く、社会保障をめぐる損得論「若年層＝損―得＝高齢層」が世間相場になりつつある。でも、よく考えてみてください。今の子どもや若者は、私たちの若き日々の辛抱我慢刻苦勉励？のおかげで、日本の歴史において最高に豊かな子ども時代・青年期を過ごすことができているのではありませんか。反省すべき点も多々あるが、豊かな社会・日本の基礎を築いたのは、間違いなく私たち年金受給世代です。恩を売るつもりは毛頭ないし、孔子先生が「後生畏るべし」とおっしゃってはいても、若い世代には、社会保障財政の枠組みを超えた高い視点と広い視野で、日本の民主化と経済発展の歴史を学び直してほしいものです。

加齢とともに、体力も気力も衰えてきがちですが、私たち年金受給世代が年金損得論ごときで卑屈になることは一切ない。社会保障の後退に対しては断固立ち向かわなくてはなりません。古今東西老若男女、「なせば、なる」「求めよ、さらば与えられん」ですよ。

日本の夏といえば、やはり豪勢な花火とよく冷やしたスイカ。その花火が、私はあまり好きでない。小学校二年生の夏休みのことでした。亡父が大病を患い、一命は取り留めたものの、働き盛りで社会的な活動から事実上身を引かざるをえなくなりました。さぞ無念だったことでしょう。その父が生死の境をさまよっていたころに、私の故里の夏の風物詩であった花火大会がありました。父を案じる気持ちと花火を見に行きたい気持ちとがせめぎ合い、結局、花火見物には出かけませんでした。それ以来、私は花火を無邪気に楽しむことができなくなり、少し損をしています。

外国産も増え、いつのころからか食べ物に季節感が乏しくなり、大方の果物や野菜を年中食べることができるようになりました。それでも夏のスイカは格別です。私は子どものころからスイカが好きでした。高級マスク・メロンでないところが我ながら慎ましい。そのスイカを、病床で初めての冬を迎えた忘父が無性に欲しがり、忘母や歳の離れた忘兄が、さまざまなつてを頼って、とても苦労して手に入れたことを記憶しています。冬の果物といえば、ミカンかリンゴだけだった時代の田舎町での話です。

四年前（二〇一一年）突然旅立った、誕生日も同じ幼馴染みで六〇年の付き合いがあった「シゲ」こと小林茂吉は、ヨチヨチ歩きのころのスイカの食べすぎが終生たたり、大のスイカ嫌いでしたが、花火は大好き。夏休みに彼の家に遊びに行くと、二人分のスイカが私の腹に収まり、我が家に彼が来ると、井戸水で冷やしたトマトがオヤツ。当時、我が家には小さな畑があり、夏のトマトは自給自足で食べ放題。私はスイカ同様トマトも好きで、二人競争で食べました。「シゲ」は、スイカで損、花火で得。私は、花火で損、スイカで得。大方こんなふうに、人生の帳尻は何となく合っているのではないでしょうか。

「冷めた頭に温かい心」―イギリスの経済学者アルフレッド・マーシャルのケンブリッジ大学教授就任講演（一八八五年）での言葉です。かなうことなら、年金損得論者やその追随者たちに彼の爪の垢を煎じて馳走したい。年金損得論など小賢しく小乗的にすぎる。

## 二〇一五年朱夏　冷めた頭に温かい心

ジョセフ・アロイス・シュンペーターによって後に痛烈に批判されることになる、有名な題辞「自然は飛躍せず」を掲げる、新古典派経済学の最高峰ともいうべき『経済学原理』を、アルフレッド・マーシャルは、慶應義塾が「大学部」を設置した一八九〇年に出版しています。その彼が、これに先立つ一八八五年―福沢諭吉が「日本婦人論」ほかを『時事新報』に連載の年―、ケンブリッジ大学教授就任講義「経済学の現状」で、ケンブリッジの学生に次のように語りかけています。「冷静な頭脳をもって、しかし温かい心情をもって……（中略）……ますます多くの人びとが、私たちの周りの社会的な苦難を打開するために、私たちが持つ最良の力の少なくとも一部を喜んで提供し……（中略）……私たちにできますことをなし終えるまでは安んずることをしないと決意して、学窓を出て行きますように……。」マーシャルが丁度一三〇年前にケンブリッジの若者に語りかけた「温かい心情」には、慶應義塾の応援歌「若き血」に通じるものがあるかもしれない。

また彼は、一九〇七年には論文「経済騎士道の社会的可能性」で、次のように説いている。「いかに大きな富であっても、それが、ごまかしや、情報の操作や、詐欺的な取引や、悪意をもってするライバルの破滅によって得られたものであれば、社会的な成功へのパスポートにはならないでしょう。」

（注）上記マーシャルの著作の邦訳は、馬場啓之助訳『経済学原理』（東洋経済新報社）、永沢越郎訳『マーシャル 経済論文集』（岩波ブックサービスセンター）に依拠したが、一部改変した。

さて、現今の社会保険（日本年金機構）を含む最広義の保険業界に、冷めた頭脳と温かい心の経済騎士道で、業務に邁進する若き有為の人材ありやなしや。むろん私は、多士済済であるにちがいない、と固く信じています。

強弱濃淡はあっても「助け合い」の理念を標榜する、社会保険を含む保険・共済事業関係者の方々には、温かい心は自ずと備わっているはずですが、それだけでなく、国内外のさまざまな「似非」に惑わされることなく、私の三〇数年来の友人ミュア・グレイの著書『（科学的）根拠に基づく健康管理』での問題提起「正しいことを正しく行っているか？」に対し、常に

Yes と答えられる Cool Head で判断し行動できる能力を併せ持っていただきたいものです。

（注）「騎士」「多士」の「士」は元来「学徳に秀でた立派な男子」を意味するが、本小論では「男女の別なく学徳に秀でた立派な人物」と理解していただきたい。ちなみに弁護士・公認会計士・税理士・社会保険労務士・弁理士・社会福祉士・介護福祉士・保育士・歯科衛生士・歯科技工士・建築士・不動産鑑定士などの資格取得に、性別は無関係。

## 二〇一五年秋　三年連続世界一になりました

覚えている人が、どれくらいいるだろう。民主党政権下の事業仕分け人・蓮舫女史の「迷」セリフ「世界一になる理由は何があるんでしょうか？ 二位じゃダメなんでしょうか？」二位でも三位でも悪いわけじゃないが、三年連続の一位、何とも素晴らしいではありませんか。

厚生労働省「報道発表資料　平成二六年簡易生命表の概況」（二〇一五年七月三〇日）によると、昨二〇一四年の日本人の平均寿命は、女性が八六・八三歳で三年連続世界一、男性が八〇・五〇歳で世界三位。ともに日本最長記録を更新しました。素晴らしい。医療技術の進歩による効果的な治療が可能になったこと、健康志向が高まったこと、などがその背景にあり、今後も平均寿命は延びる可能性があるそうです。

また、二〇年以上にわたって百寿者に関する調査研究を続けてきている慶應義塾大学医学部百寿総合研究センターによると、以下の傾向がみられるとのこと。

百寿者には、糖尿病と動脈硬化が少ない。

防御ホルモン（善玉ホルモン）のアディポネクチンが多く分泌されている。

食べる意欲が旺盛でよく食べ、興味を持ったことに対して前向きで熱心に取り組む。

いずれ正確な数値が明らかになっているはずですが、今年二〇一五年中に日本人百寿者が六万人を超えることは確実です。

ところで、百寿者の増加をもたらした医療技術の進歩は、どのようにしてもたらされたのか？医学者・臨床医をはじめとする多くの医療関係者の日夜を問わない努力と研鑽によるものであることはいうまでもありませんが、それを可能にしたのは、第二次世界大戦の苦い経験を肝に銘じ、多くの先人が、また私たち自身が、人命を尊重し、憲法第九条を守って、平和主義に徹し、戦争を永久に放棄してきたからにほかなりません。平和の維持に努め、知恵を絞り、汗を流して、社会の安定と経済の発展に尽くし，多くの矛盾を内包しつつも、豊かな社会と呼べる平和国家・日本を築いてきたからです。

昨今の政治家の中には、歴史を正しく学ぶことなく、危険な政策を選択しようとしている人たちが大勢います。日本の社会保険の歴史をたどると、医療保険・年金保険ともに戦時体制下において制度的に整備拡張されたことがわかりますし、福祉国家の母国ともいえるイギリスに

〈元気に百寿を迎えることはできそうもないが、行けるところまで自然体で生きていくつもりの筆者に、オックスフォードの友人ジェフ・バーリイ（Jeff Burly）教授から届いた、津波と放射能汚染の見舞いが書き添えてある、誕生日カード：2011年4月〉

〈ウイリアム・ベバリジ（*50th Anniversary of the Beveridge Report 1942－1992*, prepared by The Department of Social Security and The Central Office of Information, 1992から複写）〉

おいても類似した歴史的事実が観察されます。だからといって、社会保障・社会保険の発展のために戦争を！ということにはむろんなりません。平和の維持、すなわち長寿は、社会全体の英知によって達成し維持していかなくてはなりません。

「福祉国家の父・近代的社会政策の守護神」とも讃えられるウイリアム・ベバリジは、『社会保険および関連サービス』（山田雄三監訳、至誠堂）において次のように述べています。「戦争があらゆる種類の境界線を撤去しつつある現在こそ、経験を境界なき広野で利用する絶好の機会である。」

日本人女性が世界一、男性が第三位の長寿であることは、オリンピックや各種競技の世界選手権などでのメダルの獲得や入賞などとは比較にならないほどの一大盛事だとは思いませんか。

# 二〇一六年冬　太閤秀吉を超えよう

今年二〇一六年の干支は丙申(へいしん・ひのえさる)で、いわゆるサル年です。積読(つんどく)状態二〇数年の埃を払い、P・B・メダワー（ノーベル医学生理学賞受賞者）とJ・S・メダワー（家族計画の先駆者）夫妻の共著『アリストテレスから動物園まで　生物学の哲学辞典』（みすず書房）を繙(ひもと)くと、サルに関する次のような解説が両眼に飛び込んできました。

分類学の父といわれるカール・フォン・リンネは、サルと類人猿と人間を霊長類としてひとくくりにした。霊長類は、四肢の長い樹上性の動物で、樹上生活の習慣と腕渡り運動に結びつく多くの適応力をもっている。その中には、親指のような機能をもつ対向可能な大きい指先、視力の優勢、前向きの眼による両眼視―初めて動物にはっきりと顔面らしきものを授ける特徴―、などがある。

なるほど、少し難解だが、大方理解できますね。私が猿の存在を知ったのは、故郷の城址にあった小さな動物園でのことだったように記憶しています。このころから少しずつ霊長類との接触が増えてきます。桃太郎のお伴の猿、猿蟹合戦のかたき役の猿、真田十勇士の猿飛佐助、日光の三猿が『論語』（吉川幸次郎『中国古典選　4　論語（中）』朝日新聞社文庫）の「顔淵」「非礼勿視(れいにあらざれば、みることなかれ)、非礼勿聴(れいにあらざれば、きくことなかれ)、非礼勿言(れいにあらざれば、いうことなかれ)、非礼勿動(れいにあらざれば、うごくことなかれ)」に由来すると

〈インドの野生の尾長？猿：気のせいか日本猿よりも顔つきが哲学的〉

すれば、三猿は外来種、三蔵法師の弟子の孫行者こと孫悟空、ターザンの友チータ、人に恋したキング・コング、おりの中のマントヒヒやオランウータン、数えきれないほどの人びと。

そして何といっても、忘れてならないのが、猿面冠者・猿と呼ばれた日吉丸、後の木下藤吉郎―羽柴秀吉―豊臣秀吉。物語や小説の中で描かれる彼は、少年期から壮年期に至るまで、元気で、明るく、朗らかで、知恵も、愛嬌も、胆力もある、魅力いっぱいの人物です。日本史における稀代の傑物の一人といっても、けっしてほめ過ぎではないでしょう。でも人間とは、恐ろしいもの、悲しいもので、一代の英傑も、加齢とともに判断力が鈍り、多くの過ちを犯した末に「夢のまた夢」の生涯を閉じることになります。本当の意味での「余暇」をもてなかった悲劇といえるかもしれません。

ヨゼフ・ピーパーの『余暇と祝祭』(講談社学術文庫)によると、「余暇」を持ちうる能力は、人間の魂の根本的な能力の一つだそうです。退職後・高齢期は、まさに人生における最大最長の「余暇」をもつことができる日々です。これを活用しない手はありません。

また、ピーパーは次のように述べています。ぎりぎりのところまで力をふりしぼって活動することよりも、「忘我」のほうが「より困難」だ。力を抜いて、ゆとりをもつことは、それ自体は楽で、苦痛のない状態だが、じつは力をふりしぼって活動するほうが、ある意味では、ずっと容易だ。

欧米人から「エコノミック・アニマル」とか「兎小屋に住む働き蜂」などと揶揄されながら、奇跡の経済成長の一翼を担った私たち(元)経済戦士の大方が今や老境を迎えています。今年は、「世代から世代へと非遺伝的経路を通して情報を伝達する霊長類」の長にふさわしい「余暇」の持ち方で、太閤秀吉を超えようではありませんか。

## 二〇一六年玄冬　追悼　五十嵐　眞博士　向上心こそ人類の宝

私は保険学を基礎にした社会保障の勉強を約四〇年間続けてきましたが、誇れるほどの研究業績はありません。その私が、保険学の黎明期＝綜合保険学の時代であれば、保険学密接関連

〈東京・丸の内の東京会館での食事後に歓談する五十嵐先生（左）と筆者：2012年6月〉

分野ともいえる、さまざまな研究領域で活躍している皆さんの協力を得て、先ごろ慶應義塾大学出版会から編著『社会保護政策論ーグローバル健康福祉社会への政策提言』を出版しました。私を含む一六名の執筆者のうちの六名は慶應義塾の卒業生（塾員）で、そのうちの一人ドクター・イガこと五十嵐眞博士は、一九五二年医学部卒業の大先輩です。

大学入学以後の私の前半生で最大の知的影響を受けたのが慶應義塾大学商学部教授であられた庭田範秋先生であったのに対し、ドクター・イガとの出会いは私の後半生を決定づけました。とりわけドクター・イガの指導のもとで、英語が得意ともいえない私が、一〇年以上にわたる英国オックスフォード大学を中心にしたイギリスの研究者たちとの「健康と福祉」に関する国際共同研究プロジェクトを立ち上げ、一応の成果を挙げえたことは、なにものにも代えがたい私の宝になっています。

二〇年ばかり前のことです。ドクター・イガが顧問格で参加されていた少子高齢社会における家族問題に関する日米シンポジウムで、筆者よりはるかに英語が達者な日本人研究者のほとんどが同時通訳付きの日本語で研究発表を行う中、私は大胆にも拙い英語で Quality of Family Life and Social Security in Japan（「日本の社会保障と家族生活の質」）というテーマでの研究発表を行いました。これがドクター・イガの目に留まり、発表後、声をかけていただいて、五十嵐先生との交流が始まりました。私は、先生が同窓の先輩で、国際的に著名な科学者であることを、それまでまったく知りませんでした。

ドクター・イガは、学部こそ違うものの、庭田先生とほぼ同じ時期に慶應義塾で学ばれたのち、アメリカに渡られ、三〇余年の間、ベイラー医科大学ほかの大学・研究所を拠点にした平衡科学、宇宙医学の分野で多大な研究教育業績を挙げられました。この間、毛利衛博士や向井千秋博士ほかの日本人宇宙飛行士の指導にもあたられ、一九九〇年に帰国、翌年から日本大学総合科学研究所教授などを歴任されました。

ドクター・イガとの出会いによって、一介の傍流保険研究者にすぎなかった私に、広い視野が開けてきました。ドクター・イガは『社会保護政策論』の中で「向上心こそ人類の宝」と述べています。実績に裏打ちされた（evidence-based）力強い言葉です。科学的根拠なき可能性を信じる者は子どもか愚者だが、ドクター・イガが関わった人類の宇宙への挑戦は、私たちに夢と希望を与えてくれました。保険の枠を越えた向上心と挑戦の書『社会保護政策論』は、ドクター・イガほかによる知的刺激満載で、健康と福祉に対する認識が、コペルニクス的転回とまでは申しませんが、きっと劇的に変わるはずです。

五十嵐眞先生は、二〇一六年一月二六日に八七歳でご逝去なさいました。学恩に感謝し、衷心よりご冥福をお祈り申し上げます。

## 二〇一六年春　数の不思議　「五十」嵐のなぞ

向上心こそは人類の宝─去る一月二六日にお亡くなりになられた五十嵐眞博士の言葉です。五十嵐先生は、世界的な宇宙医学の権威で、その研究者としての大半をアメリカで過ごされました。多くのみなさんが覚えているであろう日本人宇宙飛行士の草分け毛利衛・向井千秋両博士も、若き日に五十嵐先生の指導を受けられています。私は、先生とはまったく違った分野で生きて、先生が二〇年余り前に日本に帰国されてから、幸運にも公私にわたるご指導を仰ぐ機会を得ました。いろいろある思い出の一つをご披露します。

私がご指導いただくようになったころの先生は、幅広く医学・医療と人間・人生についての研究をなさっており、「死生学」に関するお話を聞く機会がありました。文字通り人間の生と死に関わる学問ですから、宗教や倫理に深く関わる議論になってまいります。それまでの私は、一時期を除き、「生活の質（QOL）」つまりもっぱら「生」に関わる問題に焦点を合わせて、仕事をしていました。それが、五十嵐先生との対話から、「生」の究極は必然の「死」であり、「いかに死を迎えるか」「いかに看取るか」の視点が私に欠落しがちであったことに気付きました。今、そうしたことを考えながら、日々暮らしています。

ところで、五十嵐先生のお名前は「イガラシ」と読みます。なぜこのように読めるのか。私は国語や漢字の専門家ではありませんが、考えてみました。

「五」は「い（つつ）」で「イ」。「嵐」は「（あ）らし」で「ラシ」。それにしても「十」はまったくわからない。こうした好奇心も、ある種の向上心につながり、老化の防止に役立つのではないか、と考えますが、いかがでしょう。

昨年末からわけあって蔵書の一部を整理しました。蔵書家というほどではありませんが、それでもかなりの本を持っています。その中から、奥付からすると三〇年近く前に買った、と思われる、東京図書刊のペレリマン著（金光不二夫訳）『数のはなし』という本が出てきました。これが面白いのです。一つ紹介します。計算して確かめてください。

（1かける2分の1）は（1ひく2分の1）に等しい。
（3分の1かける4分の1）は（3分の1ひく4分の1）に等しい。

もう二冊、対照的な数に関わる本を紹介します。私の学生時代からの友人で、タネもシカケもない手品が玄人はだしで、算数好きでもある栗林俊郎君は『ゴールドバッハの問題』という本を個人書店から出版しています。この問題は「数学」の世界では難問とされていますが、彼は「算数」を駆使して、「数字」をめぐるなぞの解明を試みています。頭の体操に最適。

もう一冊は、私の先輩・永山利和さんほか編の大月書店刊『個人情報（プライバシー）丸裸のマイナンバーはいらない』。こちらは「数」＝「量」にからむ「質」に切り込んだ本。「マイナンバー」は、単なる「数」ではなく、恐ろしい「数」であることがわかる。

## 二〇一六年夏　日本語の力

ずいぶん以前から日本語の乱れが指摘されていますが、一向に改まる気配が感じられません。音読朗読の専門家であるはずのアナウンサー諸氏の中にも、相当お粗末な人たちがいる。ひどいのになると、原稿の漢字を正しく読むことすらできない。こうした人たちは、柿本人麻呂の「しき島の日本(やまと)の國は言靈(ことだま)のさきはふ國ぞまさきくありこそ」（佐々木信綱編『万葉集』岩波文庫）などという歌は、むろん知らないでしょうね。昔の人たちは、言葉には霊的な力が宿り、言葉の力で幸せにも不幸せにもなる、と考え、言葉を大切にしていたようです。

第二次世界大戦後の日本で、最大最高の力を発揮した魔法の言葉「終戦」。一九四五年八月一五日を「敗戦」の日とせず、「終戦」の日とした先人の知恵に脱帽。

あのころ、負けを望んでいた日本人はほとんどいなかったはずです。でも本音では、「無念だが、ようやく戦争が終わり、ほっとした」との複雑な思いで、現人神（あらひとがみ）なるがゆえか？ 日本人離れした抑揚の玉音放送に耳を傾けた人たちが多かったのではないでしょうか。どこから見ても、どのように考えても、あれは負けるべくして負けた無謀な戦でした。そして、完膚なきまでに打ちのめされた完敗惨敗大敗でした。

あの日を、「敗戦」の日としていたならば、おそらく私たちの心に敗戦国民意識が根付き、焼け跡からの復興にも力が入らず、奇跡とまでいわれた高度経済成長はなく、長寿国にもなれなかったでしょう。敗戦を終戦＝再出発として、いやなことはきれいさっぱり忘れ去る。敗因の徹底的な究明はしない。戦争責任も深くは追及しない。「敗戦」を「終戦」と受け止めることによって、日本は見事に対米従属無責任福祉国家として、不死鳥のごとくよみがえりました。

大学の先輩で埼玉県年金協会会長（二〇一六年当時）の平塚宗臣さんが角川文化振興財団から昨二〇一五年に出版した第一歌集『歌集　八國山』に、次の歌が載っています。

日本のナショナル・ミニマム守れるか　農業、医療、文化、防衛

〈平塚さんと小林君の著書。両著書のカバーのほぼ同じ位置に、一方は歴史を感じさせ、他方は今を感じさせる、住まいが描かれているのは偶然だろうか。本書の刊行を思い立った動機には、これら２冊に刺激されたことがある。〉

しかり。このところ、政治、経済、福祉、教育、科学、スポーツほか、どちらを向いても、真っ先に飛び込んでくるのは気が滅入る情報ばかり。見渡すかぎり焼け野原だったあの日の東京で、誰一人想像しなかったであろう豊かな社会に日本はなりましたが、大切なものを失ってしまったのではないか。

　そんな中で、ほのぼのとした気分に浸れたのが、先ごろ大学同期の小林節子君がことこと社から出版した『女ひとり　古希に家を建てる』。「あとがきにかえて」から引用します。「幸せのハードルが低くて満足な性格なのか、多くを望まず、いつも比較的ご機嫌です。……（中略）……生きるために必要なお金は、真剣勝負、汗水垂らして、に行き着きます。」

こうした感性を日本人は元来もっていたはずなのだが、今や雲散霧消。書名を「女一人」でなく「女ひとり」にしたところも、言葉の専門家としての小林君の芸。言霊が幸（さき）わっていそう。だからといって、「男ひとり」では佗しく頼りない。日本男児ならば、やはり「男一匹」でなければ、力も出ないだろう。

## 二〇一六年秋　至福のひととき　「五十」嵐のなぞ解明

退職者・高齢者にとっての命の綱―誰もが真っ先に思い浮かべるのが、年金・医療・介護。そして例外もあるが、家族とりわけ配偶者。古来、夫婦仲のよさを表わすのに、中国渡来の「比翼連理」「双宿双飛」「偕老同穴」などという難しい言葉が使われてきました。さらに、ときに精神的な支えになり、勇気を与えてくれ、楽しみを共有できるのが、友。ともに（元）オックスフォード大学社会政策学部長のスミス夫妻は、四〇年来の友人で、イギリスでは公私にわたる心強い相談相手で、共同研究者です。

『論語』「学而第一」（がくじ）には「有朋自遠方來、不亦樂乎」（ともありえんぽうよりきたる、またたのしからずや）とあります（吉川幸次郎『中国古典選3　論語　上』朝日新聞社文庫）。

対照的に『旧約聖書』「ヨブ記」には「汝（なんじ）らはみな人を慰めんとして却（かへ）つて人を煩（わずらわ）す者なり」とあります（『文語訳 旧約聖書　Ⅲ　諸書　ヨブ記　詩篇　箴言　伝道之書　雅歌』岩波文庫）。

人間関係は複雑怪奇で摩訶不思議。『論語』『旧約聖書』ともに思い当たることがありませんか。以下は『論語』の説に近い話です。

前掲「数の不思議」での「なぜ五十嵐をイガラシと読むのか」という問いかけに対し、大変説得力のある情報が旧友の松村哲夫君から届きました。彼とは学生時代に寮で同じ釜の飯を三年間いっしょに食べた仲ですが、数十年前に彼の結婚披露宴に招かれ、祝辞を述べて以来の来信でした。文学部で『源氏物語』を専攻していたことから、学生時代についたあだ名が「ゲンサン」。学業を終えたのち郷里の群馬に帰って、高校の国語教師として後進の育成に努め、今は悠悠自適。若干の補足をまじえ、彼の謎解きを紹介します。

――い〔五十〕は、必ずしも五十を表わさず、多数を意味するのにも使われる。五十を意味する最も古い言い方は「い」(小学館国語辞典編集部『精選版　日本国語大辞典　第一巻』)とすると、「五十嵐」の元の読みは「イアラシ」であったようだが、「イアラシ」には、二つの母音が連続する二重母音「イア」が含まれている。これが問題で、日本語では、「ピアノ」を「ピヤノ」とも一時期いったように、二重母音が生理的に忌避される傾向があった。こうした言語原理により「イアラシ」が「イガラシ」になった。

次に「ア(ラシ)」と「ガ(ラシ)」の関係についての説明。

――国語には、五十音図の同じ段、同じ行では、音が自由に融通しあい変化する音通(おんつう)という現象がある。「私」の「アタシ」と「ワタシ」(段)、「行く」の「イク」と「ユク」(行)は、

〈立て看板が時代背景を物語る三田山上で寮の仲間と（前に一人立つのが松村哲夫君、後列右から 2 人目が筆者）／この写真に写っている「龍原寺」の文字が大書された番傘は、かなり破れてしまったが、今も持っている:1968 年 2 月〉

〈互いに若かったスミス夫妻（Mr George and Mrs Teresa Smith）と筆者:夫妻宅で：2005 年 1 月〉

音通の例だ。ならば、「イア（ラシ）」と「イガ（ラシ）」（段）も、また音通と考えられる。音通による発音の転訛が起こるとき、発音しやすいほうが主流になる傾向がある。

なるほど、と納得。もつべきものは友ですね。記憶にある学生時代の彼の特技は二つ。一九六四年開催の東京オリンピック開会式実況中継の、実に歯切れのよい、原稿なしでのモノマネと、大きさ、形、飯粒のしまり具合、塩加減が、すべて絶妙な三角握り飯作り。これは軍隊経験があった彼の父君の直伝。このむすびで、父君は多くの戦友を慰め、皆に喜ばれたとか。

長い空白の時を一気に埋めて、秋の夜長、旧友と酒を酌み交わしながらの閑談。これぞ至福のひととき。ゲンサンに乾杯！

## 二〇一六年白秋　未完成狂騒曲　五輪

今年二〇一六年夏、第三一回リオ・デ・ジャネイロ五輪競技大会での日本「選手」の活躍は目覚ましく、連日大きく報道された。終わってみれば、ドーピング違反による多くのロシア選手の不参加もあり、日本「選手」のメダル獲得総数は過去最高に達した。五輪に続くパラリンピックでも日本「選手」が躍動し、多くの日本人の心を揺さぶった。でもねえ、観戦も含め、この種の行事に直接参加できるのは、ほんの一握りの人たちだけだし、私はスポーツ嫌いではないが、みんながみんなスポーツ好きというわけでもない。五輪に出場するほどの選手の大半は、今やスポーツを職業とする事実上のプロ「フェッショナル」といって過言でなく、オリンピック運動の創始者ピエール・ド・クーベルタン男爵がオリンピックの理念として唱えた、スポーツを通じての金銭的報酬を禁止し排除する、アマチュアリズムとは無縁の存在となっている。少なくとも私にはそのように見えるが、それが必ずしも悪いわけではない。

だが私は、国家行事化し、政治利用されている五輪に、熱くなることができない。一世紀を超える歴史を有する近代五輪競技大会は、この間に、その性格を大きく変えてきた。それでも、国際オリンピック委員会「オリンピック憲章」（二〇一五年八月二日から有効）が掲げる七項目の「オリンピズムの根本原則」では、「人間の尊厳」と「人類の調和のとれた発展」がうたわれているが、「国家」の繁栄とか名誉などの文字は、どこにも見られない。それどころか、次のように「国家」の介入を排しているように思われる。「オリンピック憲章の定める権利および自由は……（中略）……政治的またはその他の意見、国あるいは社会のルーツ……（中略）……などの理由による、いかなる種類の差別も受けることなく、確実に享受されなければならない。」

ところが、なぜか現実はまるで違う。リオ五輪日本代表選手団団長は、（元）スケート選手の前歴だけが売り？の族議員。ともに空疎な言葉だけの首相と都知事は、政策課題山積の最中に競技とは無関係な閉会式への公務？出張。東京五輪・パラリンピック競技大会組織委員会会長は、傘寿目前にして意気衝天？の知性のかけらもなさそうな（元）首相。数え上げれば、きりがない。複雑怪奇にして単純明快！金と政治が怪しくからむ五輪。二〇二〇年の東京五輪

〈新旧のロンドン名物―大観覧車（ロンドン・アイ：左中央の中空）と国会議事堂の時計台（ビッグ・ベン）―を背景に林立する2012年のオリンピック誘致の旗竿：2004年8月〉

のエンブレムや競技場設計などをめぐる不明朗な話題は、フェア・プレイの精神からはほど遠く、海外のメディアは、東京五輪をThe Yakuza Olympicsと報じている。本音をいえば、東京五輪を中止して、社会保障に金を回してほしいところだが、まず無理だろうから、せめて組織と運営だけでも透明性の高い公明正大なものに一新してほしい。

ついでにもう一つ、忖度や贈収賄などを連想させる「おもてなし」という言葉も、五輪で使うのをやめてほしい。金を落としてくれる外国人（観光客）だからといって、ペコペコする必要など、さらさらなかろう。まるで「ギブ・ミー・チョコレート」の二一世紀版だ。自然体で接すれば、十分だろう。いやいや日本人にとって「ギブ・ミー・

チョコレート」がすっかり習い性になっているとすれば、むしろ相手を見ての「おもてなし」や「忖度」が自然体なのかもしれない。

二〇〇四年のアテネ五輪の前後一年あまりをイギリスで過ごしていたとき、私は、イギリスの市民社会としての成熟度の高さを、あらためて実感した。二〇〇四年八月二二日午後（日本時間二三日深夜）、私はアテネ五輪女子マラソンをテレビ観戦していた。優勝候補の筆頭は、当時の世界記録保持者でイギリス期待のポーラ・ラドクリフ選手。その彼女が、三五―三六キロメートル地点で四位に落ち、金メダルどころか銅メダルも絶望的になった。優勝は日本の野口みずき選手。とても興味深かったのは、ここからである。競技翌日のイギリスの新聞の第一面は、高級紙・大衆紙ともに、ほとんどすべて、途中でレースを棄権したラドクリフに関する記事で、彼女が取り乱し、路端で泣き崩れている大きな写真が付いていた。

その一方で、優勝した野口みずき選手についての記事は実に簡単なもので、彼女の記録がラドクリフのもつ世界記録より一〇分以上遅かったことを伝えるだけ。どの新聞の記事も解説も、ラドクリフの敗因は「暑さ」という点で、ほぼ一致しており、イギリス人を含む北ヨーロッパ人は、暑い時期・土地でのレースには、少々の練習を積んで臨んでも、体質的・人種的に勝てない、という専門家の意見が紹介されていた。

もっと印象的だったのが次の論点である。彼女が「つぶれたこと」には比較的同情的な論調が多かったのに対し、「つぶれ方」に対しては手厳しい見方が多かった。とりわけ、感情を制御できず、人前で涙を見せ、取り乱した姿をさらしたことが、イギリス人の美意識に反したようで、容赦のない批判が紙面をにぎわした。世界記録保持者であり、イギリスの期待を担っていた彼女は、レースに敗れても、マラソンの女王らしい態度を保持すべきであった。その一方で、これまでにも、世界記録保持者として、五輪に出場したイギリス選手が、何人も期待を裏切る結果しか出せなかったことなどを取り上げ、彼女もイギリス人好みの悲劇の英雄（ヒーロー）―英語では、男はヒーロー、女はヒロインだが、日本語には、英「雄」はあるが、英「雌」（ヒロイン）はない―になりそうだ、といった論調も目立った。

広告主と権力に弱い日本のメディアに学んでほしかったのが、現代五輪の本質をうがつ競技時間に関する記事だった。アテネの気温・天候を考えると、マラソンなどは、気温が低い朝行うべきであり、通常は、こうした点への配慮がなされるが、昨今の五輪では、テレビ中継放送との関係で、大口のスポンサーが多いアメリカで視聴率を稼ぐことができる時間帯に、競技を行うことになる。五輪が商業化すると、競技の特性や選手の健康などより、ビジネスの論理が優先される。それで選手の懐も潤う。ローマでのアベベ・ビキラ選手の裸足の快走に世界が驚愕し、東京での東洋の魔女たちの回転レシーブに日本が沸きかえった時代とは違う。少し覚めた目で、東京五輪を楽しんではどうだろう。ちなみに、ときどき頭の体操はするが、交通費節約と地球環境保全のために歩く以外、運動は一切しないで、好きなものを飲み食いし、万事にこだわらないのが、目下の私の健康法。これで楽しく年齢相応に元気に暮らしている。

# 二〇一七年冬　新釈 鶏鳴狗盗物語

今年二〇一七年は酉年。私は年男で、誕生日を迎えると、半世紀近く前に丁度平均寿命だけ生きて旅立った父と同じ時間生きたことになります。子どものころ、裏庭で鶏（記憶では白色レグホン）を数羽飼っていたことがあり、私にとって鶏は最も身近な家畜でしたが、自分の干支が飛べないトリであることを少し残念に思っていました。だが、大きくて強い鳥の王者・鷲やスマートな速い翼の隼だったなら、今ごろは絶滅危惧種で青息吐息。ブロイラーはちと悲惨だが、人間と共存できる鶏で本当によかった。

ところで、酉にはサケ・サカツボの意味があり、酉は酒器の象形で、酒の原字、とのこと（鎌田正・米山寅太郎『大漢語林』大修館書店）。ならば、今年は年男＝酉男＝酒男として元気に楽しく過ごそう、と年頭の決意も新たに屠蘇を祝った後、酉年の暮らしの指針になりそうな言葉を時田昌瑞『岩波ことわざ辞典』（岩波書店）で探したところ、ありました。

鶏を十把一絡げの凡人や小ボスになぞらえた「鶏群の一鶴」「鶏口となるも牛後となるなかれ」。

鶏をさばくことを些末事に例えた「鶏を割くにいずくんぞ牛刀を用いん」。

きわめつきは「じたばたしても鶏裸足」「鶏は三歩歩くと忘れる」。

でも酉年生まれの善男善女の皆さん、嘆くには及びません。「鶏鳴狗盗」という言葉があります。これを酉年生まれに都合よく解釈すると、つまらぬことしかできない（と周囲から軽んじられている）人間にだって、一発大逆転の大仕事ができる、となる。誰にだって一つや二つ取り柄はある。まずは自分を信じましょう。

私が子どものころの正月の遊びの一つに「百人一首」のカルタ取りがありました。私は何かにつけ要領が悪いうえに執着心が稀薄で、いつも負けてばかり。ところが、なぜか記憶力も集中力も技術も不要の「坊主めくり」だけは強かった。これだって芸のうちでしょう。

その「百人一首」に「鶏鳴狗盗」をふまえた恋歌があります。

夜をこめて 鳥の空音は はかるとも よに逢坂の 関はゆるさじ

〈解釈〉夜も明けぬうちに／鶏の鳴き真似をしてだまし／関所を開けさせた／あれは中国の故事の函谷関のこと／だけど私の関所はダメよ／私の逢坂の関の守りは堅いわ

田辺聖子『田辺聖子の小倉百人一首』角川文庫

作者は、能吏で能筆（三蹟の一人）だった権大納言・藤原行成の女友だち清少納言。一〇〇〇年以上前の作品『枕草子』の一三六段で、女性の時代・現代を先取りしたかのような彼女の才気煥発ぶりを「鶏鳴狗盗」がらみで存分に楽しむことができます。「鶏鳴狗盗」は、紀元前三世紀末の秦による中国統一前の弱肉強食の時代、鶏の鳴き真似名人や犬のようにはしこいこそ泥まで食客として抱えていた戦国四君の一人・孟嘗君（もうしょうくん）が、彼らの芸で危うく窮地を脱することができた、という故事に因（ちな）む（武田泰淳『司馬遷―史記の世界―』講談社文庫）。

〈ポルトガルの伝説の鶏：2017年1月〉

この外国（とつくに）の政略譚を恋歌にさらりと読み込んだ清少納言に対し、最近こんな歌を目にした。

政事渡世の都庁の女帝
塒（ねぐら）定めぬ渡り鳥
風の吹きようで西東
鶏（とり）も狗（わんこ）も魑魅魍魎（ちみもうりょう）も
狸囃子（たぬきはやし）の調子のよさに
浮かれて騒ぐ三文芝居
危ういかな危ういかな

鶏群亭一愕

こんな時代でも、否、こんな時代だからか、生き急いだ友人の黒川勇三君と容子夫人は、『はちどり句会第一句集　はちどり』に、次のようなほのぼのとさせられる句を詠んでいます。

悴(かじか)む手そつと隣に絡めをり　周桑（勇）
蓑虫の世界くるくる回りをり　双紅（容）

## 二〇一七年春　謹啓 合衆国大統領閣下様

桜花満開、春爛漫の候、史上初の古稀を過ぎての大統領ご就任、おめでとうございます。同世代の一地球市民として、人種・国籍・思想・信条・宗教などの違いを越えて、お祝い申し上げます。

その一方で、雑多なメディアを通じて伝わってくる、感情的・非論理的・非科学的で、何よりも反人道的・反人権的・反福祉的・差別的・排他的・排外的と、いくらでも続けられそうな大統領閣下の低俗で低劣な言動に対する、閣下のお膝元だけでなく、世界的規模で生じている抵抗・抗議・批判・反発・反感・反対など、いつまでも続きそうな負の反応も当然、と考えています。貴国アメリカ合衆国での長い生活体験をもつ、良識と教養を兼ね備え、米語（英語）が達者な私の若い友人などは、不遜にも閣下の「知性と米語力は彼国(かのくに)の小学生並み」と酷評しています。

私は、閣下の「アメリカ第一（アメリカファースト）」で「アメリカを再び偉大にするぞ（ウイウイル メイク アメリカ グレイト アゲイン！）」という演説を聞いた途端、なぜかおよそ半世紀前に我が小国・日本で話題になった、閣下と、したがって私と同年配の日本人なら大方記憶しているはずの、物欲むき出しのチョコレートの宣伝歌「大きいことはいいことだ」を思い出しました。

続いて、子どものころよく観たハリウッド全盛期の勧善懲悪のB級西部劇によく登場していた、粗野・粗笨・粗暴・野卑・横暴・貪欲・強欲・卑劣・非道・悪逆・悪辣・俗悪・不作法・不寛容と、これまたいくらでも続けられそうな人柄の悪玉大牧場主を思い出しました。勤勉で善良な開拓者や当時はインディアンと呼ばれていた先住民たちをいじめる大牧場主。彼が手ごわければ手ごわいほど、物語が面白く、手に汗握る展開になる。でも、むろん独善的かつ独裁的で傲慢不遜な悪玉大牧場主が栄えることはなかった。

そして今、私は、閣下の「アメリカとメキシコの国境に長大な壁を建設する」というご公約に、倹しく暮らす一年金生活者として注目しています。そこで、僭越ながら、閣下に媚び諂うことに長けた我らが首相に倣い、次のような取り組みをご提案申し上げます。

（一）機械器具を使わないで最大限大規模な工事を行う。これによって、しばしば一〇パーセント近くに達する貴国の大量の失業者の皆さんに雇用の機会を提供できる。

（二）壁は脆(もろ)く壊れやすいものにする。これで、恒久的な失業対策事業としての修復工事を半永久的に続けることができる。また、簡単に壁を潜り抜け、乗り越えての墨米(メキシコ・アメリカ)両国間の往来が容易頻繁になり、両国の草の根の交流が密になる。さらに、多くの国境警備隊員を増員配置する必要が生じ、雇用の増大につながる。ただし、警備隊要員が携行携帯する武器は水鉄砲とし、密出入国者の汗と埃の汚れの洗浄にのみ使用することとする。

（四）城壁に使用する建材は、人にも自然にもやさしい人畜無害で再生可能なものとする。これによって人間の健康と自然環境を守ることができ、なおかつ科学技術の発展を促す契機にもなる。

（五）かくして西洋歌留多(トランプ)万里の長城は、二一世紀を代表する世界遺産になるはずです。

最後に東洋の智恵を謹呈いたします。

官には針をも容れず、私には車馬を通ず

臨済（入矢義高訳注）『臨済録』岩波文庫

敬　白

# 二〇一七年夏　年金受給者のための英雄列伝

私が東京都年金受給者協会（東年協）の会報誌『とうねんパートナー』の編集を一六八号から担当するようになって、早や八年が経過し、大きな区切りの創刊二〇〇号に到達しました。東年協の発展に尽くされた多くの先人に感謝しつつ、会員の皆様とともに喜びを分かち合いたい、と思います。

東年協の会員数は、年金受給者の増加とは裏腹に年々漸減していますが、幸いなことに、この一年で一般社団法人全国年金受給者団体連合会を核にした、先年解散した沖縄を除く、四六都道府県の年金（受給者）協会の連携の緊密化が急速に進み、その具体的な成果が遠からず現われてきそうです。これも、とても喜ばしい状況であり、心強いかぎりです。

フランスの「三銃士」アトス／ポルトス／アラミスそしてダルタニャンの四人が大活躍をする絵物語や漫画を、子どものころ読まれた方は多いはずです。原作はアレクサンドル・デュマ・ペールで、全一一巻の講談社文庫版、鈴木力衛訳『ダルタニャン物語　一　友を選ばば三銃士』には、「四人は常に一体となって協力する」という件(くだり)があります。直訳すると、「みんな（万人）は一人のために、一人はみんな（万人）のために」となります。他の説もありますが、これが協同（組合）の理念・思想の原点・源流です。

ラグビー・フットボールでも、チーム全体と選手一人ひとりとの関係のあり方を示す、この言葉というよりも精神が重視されます。

羅漢中『三国志演義』（立間祥介訳、平凡社）では、劉備／関羽／張飛の三人が桃園で誓いを立てる「桃園結義」が名場面の一つ。

日本では、毛利元就の「三子教訓状」が基になったらしい「三（本の）矢の教え」が有名です。

こうした考え方が、今の私たちには欠かせません。人間は社会的動物であり、誰も一人では生きていけないとすれば、私たちは最大限に個人を尊重しつつ、互いに協力して、社会的な調和を図りながら生きていかなくてはなりません。公的年金制度は「個と全体の調和」によって成り立っています。高齢者は、考え方や暮らしぶりなどに違いがあっても、年金生活をしている、という一点において同じ立場にある人びとが、緩やかなかたちで連携協力することによって、「個と全体の調和」を目指さなくてはなりません。

生きているかぎり、いずれ誰にでも、老後と呼ばれる、就職・就業の機会が乏しく、したがって稼得が困難な、しかもそれがいつまで続くかわからない、心身ともに衰える時期が訪れます。公的年金制度は、こうした状況においても安定した生活の経済的基盤を確保できるようにしておくための備えであり、経済的保障の適時性・適量性・効率性を兼ね備えた、最も合理的な仕組みの一つのはずです。

私たちの平均寿命の世界最高水準への到達は、豊かな日本社会の象徴の一つですが、年金・医療・介護などをめぐる新たな課題を私たち一人ひとりに突き付けてもきます。といっても、現実には高齢期を迎えての個人的な対応＝自助努力には限界があります。

私たちも、古(いにしえ)の英雄豪傑に倣(なら)って、みんなで力を合わせ、お互いの暮らしの安定を勝ち取りましょう。

## 二〇一七年朱夏　敗戦考

二〇一七年八月一五日に、旧友の松村哲夫君と、大略、次のようなメイルのやり取りをしました。

〈松村君からのメイル〉

今日は終戦記念日、貴兄は敗戦記念日と言っていましたね。

「終戦の詔書」には、「朕は帝国政府をして米英支蘇四国に対し其の共同宣言を受諾する旨通告せしめたり。」とあり、共同宣言の内容が伏せられ、その後に来る厳しい状況にたいして「堪え難きを堪え、忍び難きを忍び」と呼びかけている。

これを聴いて、婉曲的な「敗戦」宣言と理解した国民はどれほどいたか。米朝はじめ緊迫した国際情勢の中で小生のような戦後生まれの団塊の世代は〝戦禍のない〟平和な時代を過ごせたことを幸せに思い感謝し、平和のために何かできることはないか考えなくてはいけないと思います。

〈筆者からの返信〉

あの戦争を世界史的・日本史的にどのように評価するかには、まだ時間が必要でしょうが、日本の「敗戦」をもって、ひとまず終結したことだけは否定しようがありません。

ちなみに、先年亡くなった年が離れた従兄は、予科練―特攻の生き残りでしたが、戦争の話は一度もしたことがありません。レイテ沖海戦・台湾沖航空戦に出撃した歴戦の戦闘機乗りで、このころには、零戦ほかの日本機では、いかにパイロットの腕がよくても、最終的にはグラマンに勝てないため、空中戦をある程度した後は、戦場離脱・帰投していたそうです。

また、ともに軍医だった、妻の父方の伯父は、インパールで自決、叔父は、硫黄島に向けて出撃途中に南太平洋上で潜水艦の雷撃により兵員輸送船が撃沈されて戦死。妻の母方の伯父は、早稲田大学から第一三期海軍予備学生として学徒出陣し、神風特攻第三御楯二五二部隊戦闘三〇四飛行隊・爆装戦闘機二〇機・第一国分発の指揮官（中尉）として沖縄近海で一九四五年四月六日に散華。

戦後、法理論は別にして、天皇の戦争責任について、日本と連合国（米国）がきちんと議論しなかったことが、今にいたる日本＝無責任国家の起点になったように思います。昨今の新版？大東亜戦争肯定論には目を通していませんが、元祖『大東亜戦争肯定論』（中公文庫）の著者の林房雄でさえ、天皇の戦争責任を認めています。

家永三郎『戦争責任』（岩波書店）は、論旨に対する賛否は別にして、戦争責任を考える際の必読書といえましょう。佐藤卓己『八月十五日の神話—終戦記念日のメディア学』（ちくま新書）は、多くの人たちの思い込みを覆す、いわれてみると、なるほど、とうなずける、面白い本です。「のど元過ぎれば」「人のうわさも」は、個人的な問題としてはともかく、社会的にはあってはならないことのはずなのですが、今や第二次世界大戦中の大日本帝国が、どこの国と闘い、どのようなことをしたのか、まったく知らない若い人たちが少なくないとのこと。若い世代の責任というよりも、祖父母や親の世代の責任といえようか。

私は、まぎれもない日本人のはずなのですが、「がんばろう日本」などと、サッカーの国際試合やオリンピックなどで声を枯らして熱狂的な声援を送り、日の丸の小旗を打ち振るのが愛国心の発露であるとすれば、その類の愛国心は微塵も持ち合わせていない。

昨日、「八月は平和と青春と甲子園を考える月」という（元）放送関係者の言葉を紹介してくれた、乳幼児期に疎開経験がある同い年の友人（女性）に以下のようなメイルを送りました。

—先ごろ古いアメリカ製の戦争特集テレビ番組（ドキュメンタリイ）を視ました。真珠湾攻

〈ハワイ・真珠湾に浮かぶアメリカ海軍の戦艦。栄光の帝國海軍が誇った戦艦大和は、ピラミッド、万里の長城と並んで、世界三大無用の長物とされることがあるが、他の2つは、長い歴史に堪え、少なくとも観光資源にはなっている。殺人兵器が地球からなくなるのはいつのことだろう：2003年6月（上）／ロンドンのナショナル・ギャラリー（国立美術館）前のトラファルガー広場に掲げられた反戦「戦争を始めるな（Don't Start Wars）」を訴える横断幕：2005年3月（下）〉

撃の時点では、ナチス・ドイツのソ連侵攻が決定的に行き詰まっていたことからも、日独の同盟はあてにならず、対米戦不可と判断すべきところを、開戦の流れを押しとどめられなかった。歴史とはそうしたものなのでしょうが、運命？の分岐点でした。さらに、およそ半年後のミッドウエイでの完敗で、休戦・停戦・終戦に向けて動くべきところを、現実を直視することなく、ウソにウソを塗り重ねての三年を経ての無様な無条件降伏。その間に私たちが生を受け、いまも生きています。

さて、残りの持ち時間で何をすればよいのでしょう。平和憲法施行七〇年のこの夏の天候が、日本の近未来を暗示しているのでなければよいのですが、いまだに平和憲法改正論者の安倍首相支持者が少なくないという、恐るべき現実！　さらに、先月末には、この友人に次のようなメイルも送っています。

―昨日の民進党党首の辞任に続き、先ほど防衛大臣の辞任が伝わってきましたが、来月の内閣改造によっても、おそらく大きな変化は生じないでしょう。いつの間にか、地方も中央も、お粗末なアマチュア政治屋ばかりになってしまいました。国民の資質の低下劣化の証といったところでしょうか。これから日本は、二等・二流の国からさらにその下の国に向って堕ちていくことでしょう。もう一度堕ちるところまで堕ちるのも悪くないかもしれません、私が死んだ後のことであれば。

憲法の主権在民と平和主義は絶対に守らなくてはなりませんが、日本語としては、日本国憲法は、格調の高さに欠け、読んで心地よいリズムもなく、あまり美しくありません。それに、制定当時と比べ、歴史の針が進んでいますから、そのあたりをにらんでの語句の修正もあってよいでしょう。これは、いわゆる改憲とは、まったく別次元の話です。

そもそも愛国心とは何か?がよくわからず、少なくとも巷間語られる愛国心は持ち合わせていない私は、すっきりしない天候同様、ぼんやりしがちな頭で、こんなことを考えています。

ある時期まで、夏には「戦記物」を読むことに決めていましたが、いつのころからか、そうしたパワーがなくなりました。突然、思い出しました。おそらく、貴兄はすでに読んでいることでしょうが、戦記物を読んでいたころに、出色とされていたのが、次の三冊です。

伊藤正徳『連合艦隊の最後』(光人社NF文庫として再刊)

林尹夫『わがいのち月明に燃ゆ』(ちくま文庫として再刊)

吉田満『戦艦大和ノ最後』(講談社文芸文庫として再刊)

陸軍物は陰鬱で悲惨すぎます。

戦後の混乱期といえば、ごくごくたまに乗った姫新線(姫路—津山—新見)で、米や野菜や干物などを大きな行李に入れて担ぎ、姫路・神戸・大阪方面に売りに出かける担ぎ屋＝闇屋のオバサンと、いつもいっしょになりました。

伊藤『連合艦隊の栄光』もありますが、できとしては『連合艦隊の最後』がはるかに上です。


〈松村君からのメイル〉

伊藤正徳さんの名を知ったのは、いや、その名の連呼を聞かされたのは、中学時代。

フジテレビで流れていた「壮烈無比、わが連合艦隊出動の生々しい記録、伊藤正徳の連合艦隊の栄光はただいま産経新聞夕刊に連載中！」というスポットCMでした。

大兄は「連合艦隊の栄光」より「連合艦隊の最後」をお勧めですが、小生には戦況悪化、滅びの末路から目をそらしてしまうところがあります。

今朝、雨の中、送り盆を済ませてきました。「海軍二等飛行兵曹○○の墓」が目に留まりました。一族の大仰な墓石の過去碑に戦死十八歳と刻まれていました。戦死したわが子を不憫に思っての建墓でしょう。


〈筆者からの返信〉

「最後」よりも「栄光」のほうが心地よいですか。

古今東西を問わず？「滅びの美学」があるようにも思いますが、どうでしょう。司馬遼太郎は、いつのころからか、嫌になりましたが、『燃えよ剣』（新潮文庫）の土方歳三の最後だけは、今でも意志的で大のお気に入り。

「新選組副長が参謀府に用ありとすれば、斬り込みに行くだけよ」これで、土方の生涯は完結したが、世の中が変わったわけではない。大方の人間の一生は、そうしたものだろう。司馬遼太郎が作り出した土方ほどに、冷めた頭と熱い思いで生き続け、死を迎えることは、簡単なことではない。

「意志的な死」については、カトーの死から説き起こされるモーリス・パンゲ『自死の日本史』（竹内信夫訳、講談社学術文庫）の考察が出色で、一読の価値があります。また美学とは縁遠く、『プルターク英雄伝』（河野与一訳、岩波文庫）全一二巻とは違った趣ですが、エドワード・ギボン『ローマ帝国衰亡史』（中野好夫ほか訳、筑摩書房）全一一巻は、読みごたえがあります。

終戦の前日生まれ父は在る

中村玲（『はちどり句会第一句集　はちどり』）

※中村さんは旧友（故）黒川勇三君のお嬢さん。

## 二〇一七年秋　平和憲法七〇年小史　病と国と戦った朝日茂さん

厚生労働省が、この夏（二〇一七年七月二七日）発表した「平成二八年簡易生命表」によると、日本人の平均寿命は、また延びて、男八〇・九八歳、女八七・一七歳になった。私たちの保健福祉水準を総合的に示す指標として平均寿命をとらえると、まことにめでたい。とはいえ、低年金で、病院通い、要支援・要介護状態では、手放しで寿命の延長を喜んでばかりもいられない。

何かと議論がある生活保護制度に関する厚生労働省「被保護者調査（平成二九年四月分概数）」によると、漸減傾向にあるとはいえ、被保護実人員は二一三万人余で、被保護世帯は約一六四万世帯である。後者のうち高齢者世帯は約八六万世帯（このうち単身世帯が九〇パーセント超）で過半数を占めている。

疾病・失業・老齢は、一九世紀末に歴史上初めてドイツで社会保険制度が実施された時代における主要な貧困の原因であったが、国民皆保険・国民皆年金が実現しているはずの二一世紀の日本においても、これらは、依然として、私たちの暮らしを脅かし続けている。とりわけ老齢は、二一世紀最大の貧困要因の一つであり、平均寿命が、一八九〇年代の男四二・八歳、女四四・三歳（「第一回完全生命表」）から、それぞれ二倍近くになった今日、その深刻さが増してきている。疾病・失業についても事態は深刻である。

六〇年前、国民皆保険・国民皆年金体制が実現する直前の一九五七年に、当時は不治の病とされていた結核で、国立岡山療養所に長期入院していた朝日茂さん（一九一三―一九六四年）が、日本国憲法第二五条が掲げる「健康で文化的な最低限度の生活を営む権利」とは何かを国に問いかける訴訟―朝日訴訟・人間裁判―を起こした。

朝日さんは、生活保護法に基づく医療扶助と生活扶助（入院患者日用品費基準月六〇〇円）を受けていたが、お兄さんからの月一五〇〇円の仕送りを理由に、一五〇〇円から日用品費相当の六〇〇円を差し引いた残り九〇〇円は医療費の一部自己負担に充て、医療費の残額についてのみ医療扶助を行うこととした保護変更処分を違法として、厚生大臣（当時）を相手に行政訴訟を起こした。

一審は原告・朝日さんの全面勝訴。二審敗訴。上告後まもなく朝日さんは死亡。そして訴訟終了。最高裁判所は、判決中の多数意見傍論で、厚生大臣に最低生活についての広範な裁量権を認め、厚生大臣が認定判断した月額六〇〇円の「入院入所患者の最低限度の日用品費」は違法ではなく、是認するほかない、とした。ちなみに当時の郵便料金は、葉書五円・封書一〇円だった。

朝日訴訟は、日本におけるナショナル・ミニマム（国民的最低限）をめぐる議論の原点です。施行後七〇年が経過した日本国憲法第二五条には次のとおり明記されています。「すべて国民は、健康で文化的な最低限度の生活を営む権利を有する。」「国は、すべての生活部面について、社会福祉、社会保障及び公衆衛生の向上及び増進に努めなければならない。」

だが、現実はどうか。

健康で文化的なナショナル・ミニマムの保障―不十分。

社会保障などの向上増進への国の取り組み方―不十分。

## 二〇一七年白秋　天は人の上に、人の下に

国民皆年金体制下における由々しき問題の一つに「国民年金保険料の納付率の低さ」があります。厚生労働省「国民年金保険料の納付率について」によると、二〇一四年一二月末現在六〇パーセント弱です。これについては、すでに社会保障学者・年金学者など多くの方々が、さまざまな議論を展開されています。しかし、「受刑者の年金権」についての真正面からの議論や論考に、これまで触れた記憶がありません。受刑者の中には外国人も含まれていますが、その大半は日本国民であり、これらの人びとも国民皆年金の傘の下にいるはずです。

私はキリスト者ではありませんが、また『文語訳　新約聖書　詩篇付』（岩波文庫）を持ち出します。「罪を憎んで、人を憎まず」と要約される「ヨハネによる福音書」の教えは、間違いなく現代の福祉思想の源流の一つといえましょう。広く解すれば、福沢諭吉の『学問のすゝ

め』（岩波文庫）の書き出し「天は人の上に人を造らず、人の下に人を造らず」にも通じるでしょう。冷めた頭脳と温かい心を保持することを心がけている市民の一人としての以下の問題提起です。

ちなみに法務省『犯罪白書』二〇一三年版によると、二〇一三年の受刑者総数は二万四四七九人です。この数値は、二〇一三年一〇月一日時点での島根県江津市、福井県勝山市、北海道美唄市の人口とほぼ同じです。これらの人びとの「年金」は、どのようになっているのでしょう。国民皆年金社会で暮らす市民の一人として考えたことがありますか。またアメリカの Bureau of Justice Statistics（司法統計局）によると、二〇一一年一二月末におけるアメリカの受刑者数は、世界一で一五七万一〇一三人とのことです。人口が日本の約二・五倍で、受刑者数は六〇倍を優に超えるアメリカ！これが世界の警察官をもって任じるアメリカのもう一つの顔です。

国民皆年金体制が実現して、すでに半世紀以上経過した今、その形骸化が顕在化してきています。いよいよ待望の本格的な隠居隠棲―何と心地よい響きか！―に入る私にとって、市民の社会保険・年金保険に対する無理解や誤解はとても気がかりです。

そこで隠居好みの奇問難問・年金クイズです。以下の受刑者の年金権に関連する記述で、正しいのはどれでしょう。

（一）受刑者の年金保険料の支払いについて

①受刑者は国民年金の保険料支払いを免除され、この期間はカラ期間として加入期間に合算される。
②受刑者に代わって、家族などが国民年金保険料を支払うことが可能。
③受刑者が厚生年金保険に加入していた場合に、有罪が確定した段階で解雇され失業するのが一般的であるとすれば、その後（受刑中）は、第一号被保険者として国民年金に加入する手続きをとり、保険料を家族などが支払うことは可能。
④家族経営の企業（同族会社）ならば、家族である受刑者の雇用を形式的に継続することも可能で、受刑者の厚生年金加入が継続する。

（二）受刑者の年金受給について

①受刑中も受刑者の指定口座に年金が振り込まれ、引き出しが可能。
②受刑者の家族の生活費、債務の返済、被害者（家族）に対する慰謝料の支払いなど、相当の理由があれば、引き出しは可能。

〈解答・解説〉

詳しくは、国民年金保険法、厚生年金保険法などを参照していただくとして、上記の問題に関して、とりあえず次のように考えることができそうです。

（一）①＝服役したことによって、自動的に国民年金保険料免除にはならない。免除の申請が必要。服役中に所得がなくても、配偶者や世帯主に充分な所得があると、免除は認められない。保険料の免除や納入がなければ、単なる未納期間として取り扱われ、カラ期間（合算対象期間）にもならない。

（一）②＝国民年金の免除に該当しない場合は、国民年金保険料を納めなくてはならない。服役中で収入や預金がない場合などであっても、配偶者や世帯主に所得がある場合は、本人に代わって、配偶者や世帯主が保険料を納付することになる。

（一）③＝上記（一）①・②から明らかなように、受刑者は、服役に際して、第一号被保険者として国民年金に加入する手続きを行う。保険料は家族などが支払うことも可能。

（一）④＝社会保険制度上、受刑者＝資格喪失という概念はないことから、あくまでも使用関係がなくなった場合において資格を喪失することになる。したがって、受刑者が、会社に労務を提供できないため、労働の対償としての報酬を得ることができないことから、使用関係がなくなると、厚生年金保険の被保険者にはなれない。一般の従業員については、基本的に受刑者になると、解雇され、資格を喪失するが、役員に関しては、即解雇とはならず、被保険者資格を有する場合も想定される。

（二）①・②＝受刑期間中でも二〇歳前障害基礎年金以外は支給停止とはならず、銀行口座などに年金が振り込まれる。年金を引き出す方法については、金融機関・刑務所で相談する。

いかがでしょう。日本では、国民皆年金体制下、受刑者の年金権は制度的に確立しています。問題は、そのことが受刑者本人とその家族・友人・知人などはいうまでもなく、刑務官・保護観察官・保護司などに、どの程度理解され、浸透しているかです。こうした問題も含め、真の国民皆保険体制を実現していくには、厚生労働省・法務省・文部科学省などが、行政の壁を乗り越えて、緊密に連携しての「年金教育のあり方」に関する再検討を行うことが必要です。そして、そこでの議論は、古来、「貧困と疾病の悪循環」「貧困と犯罪の連鎖」が指摘されてきたことからも、「冷めた頭に温かい心」でなされなければなりません。こうしたことをまじえながら、ドクター・ギャザラーと「ヨーロッパの監獄における健康計画」について語り合う機会を持てなかったことが悔やまれます。

（注）受刑者の年金権に関しては、公的年金制度運用業務に精通している藤田東克夫さん、小久保浩一さん、（故）桃原忠治さんから多くの助言をいただきましたが、上記の「解答・解説」は、すべて筆者の責任において執筆したものです。

## 二〇一八年冬　一犬形に吠ゆれば　百犬声に吠ゆ

今年二〇一八年は戌年。犬は、おそらく人類と最も早い段階でなかよくなった動物で、その忠実・誠実・果敢・勇敢な性格が人間に愛されてきたせいか、犬が重要な役割を果たす話は古今東西たくさんあります。思いつくままにその一部を挙げます。

おとぎ話「桃太郎」、民話「花咲爺」、曲亭馬琴『南総里見八犬伝』、河竹黙阿弥『極付幡随長兵衛』、巌谷小波『こがね丸』、井上ひさし『野球盲導犬ちびの告白』、出久根達郎『犬と歩けば』、安岡章太郎『愛犬物語』、映画「マリリンに逢いたい」、ダニエル・デフォー『ロビンソン・クルーソー』、ウィーダ『フランダースの犬』、コナン・ドイル『バスカヴィル家の犬』、映画「一〇一匹わんちゃん大行進」、TVドラマ「名犬ラッシー」、同じく「名犬リンチンチン」、そして、いささか胡散臭い渋谷の忠犬ハチ公。

かつて正月の家族の団欒といえば、「犬も歩けば棒に当たる」から始まる「いろはかるた（犬棒かるた）」でしたが、今は正月に「かるた取り」をする家庭はあまりなさそうです。この「いろはかるた」が、江戸と京と大阪でずいぶん違っています。諸説ある中の一つを、「い」の札で紹介します。

犬も歩けば棒に当たる（江戸）

一寸先は闇（京）

一を聞いて十を知る（大阪）

この「犬も歩けば棒に当たる」には、時田昌瑞『岩波ことわざ辞典』によると、対照的な意味・解釈があるようです。

幸運説＝何かしていれば、意外な幸運に出会う。

災難説＝何かしていれば、災難に遭う。

今年一年、皆様が幸運に恵まれますように！

過去を振り返っても詮ないことながら、国難の大方を招来したご本人が国難突破を謳った、世にも不思議な衆議院解散から、衆議院議員総選挙に至る、一連のお粗末なドタバタ劇と、皮相な判断しかできない有権者の政治的な未成熟。がっかりされた方も多かったはずです。せめて今年は、政府・与党も野党も、年金・医療・介護はいうまでもなく、健康と福祉に関わる諸政策の充実にしっかり取り組んでほしいものです。諦めないで、声を上げ続けましょう。

社会が乱れていた二世紀中ごろの中国（後漢）でのこと。当時の自由人ともいえる王符は、その著『潜夫論』「賢難第五」で、世の乱れを「一犬形に吠ゆれば百犬声に吠ゆ」と嘆き批判しています。この件には、「一犬虚を吠ゆれば万犬実に伝う」「一人虚を伝ゆれば万人実を伝う」など、さまざまな言い回しがあります。小学館国語辞典編集部『精選版　日本国語大辞典　第一巻』によると、意味するところは、「（一匹の犬が物の形を見て吠え出すと、百匹もの犬がそ

〈インドの野良（ではないかもしれない）犬2匹：2007年1月（上）／オックスフォードのスーパーマーケットの入り口で *The Big Issue* を売る若いホームレス。イギリスのホームレスは、日本のホームレスと比べ、相対的に年齢が若く、しばしば立派な犬を連れている：2007年8月（下）〉

の声を聞いて皆吠えだす意から）一人がいいかげんなことを言い出すと、世間の多くの人々は、それを本当のこととして広めてしまう」とあります。

## 二〇一八年春　眉唾もの

今年二〇一八年は、一八六八年の明治維新から一五〇年目の大きな区切りの年とされ、押しつけがましい記念行事が官民挙げて企画される一方で、これに対する批判も少なからず目につくこの頃です。そうした中で、本年一月二七日配信の『東洋経済オンライン』に掲載された戊辰戦争の賊軍の末裔・半藤一利さんへのインタビュー記事「明治維新一五〇周年、何がめでたい」は、とても面白かった。一部を要約し紹介します、

戊辰戦争は、西軍〈薩長土肥ほか〉側が手を差し伸べていれば、しなくてよい戦争だった。にもかかわらず、会津はじめ東軍側は「賊軍」とされ、戊辰戦争の後もさまざまに差別されてきた。そうした暴力的な政権簒奪や差別で苦しめられた側に配慮せず、単に明治維新を厳かな美名で飾り立てようという動きに対しては何をかいわんや。

この伝でいくと、全国各地に相当数いるはずの賊軍の末裔諸氏も、胸中は複雑かもしれない。私の生地のご親藩・松平のお殿様は機を見るに敏だったようで、官軍側。

「何をかいわんや」といえば、昨年来、ゴタゴタ続きで百家争鳴の大相撲談義の中で、まこ

としやかに語られる「相撲＝国技」論。これに疑問を呈する者が、私が知るかぎり皆無。この危うさ。看板は公益でも、所詮、大相撲は興業＝営利事業。それで皆さん適当にあしらっているのかもしれないが、いささか心配だ。

国花＝桜（あるいは菊）は法定ではないが、国旗＝日章旗・日の丸と国歌＝君が代は「国旗及び国歌に関する法律」（一九九九年）で定められている。これらには異論もあろうが、一応の根拠が法的にでっち上げられているのに対し、相撲＝国技はどうか。

相撲業界人が国技＝相撲を僭称（せんしょう）するようになったのは、明治末期に新設した常設相撲場の名称を、紆余曲折の末、「国技」館としてからのことです。新聞の発行部数も今とは比較にならず、インターネットはいうまでもなく、テレビもラジオも週刊誌もなく、小学校中退や身売りが珍しくなかった当時、多くの国民は国技なるものがあることさえ知らなかったはずです。

「大」相撲が神事というのも少々怪しい。明治神宮での奉納土俵入りや靖国神社での大奉納大相撲は、明治維新につながる国の政策で、神聖にして真性ならざる神もどきに格上げされた人間＝死者への奉納にすぎない。

「大」相撲が真正の神事ならば、異教徒の外国人横綱には神道への改宗を求めなくてはなるまい。これは相撲＝神事の根源に関わる重大事で、年寄資格の国籍条項の比ではない。

相撲「道」を唱える道学者気取りの「貴」人が相撲業界にいる。これなども烏滸（おこ）の沙汰。高い金を払って、空疎な相撲「道」など誰が教わりに行くか。名人・栃錦と土俵の鬼・若乃花（初

〈乾燥してひび割れた国技館の土俵：蒙古の嵐の前になす術もない公益財団法人日本相撲協会の前途を何やら暗示している深い亀裂：2013年夏場所〉

代）が鎬を削った時代には、出羽錦や鳴門海など、鯱張った相撲「道」とは無縁の玄人好みの曲者や業師もいて、楽しかった。相撲観戦の要諦は、微醺を帯びて気軽に楽しむに尽きる。

お上や上に立つ者が、眉唾の精神論や「道」を肩肘張って声高に唱え出すと、世の中がおかしくなる。くわばら、くわばら。

土俵には掴み切れないほどの金が埋まっている。シッカリ稽古に励んで強くなって出世して、それをしっかり掴み取れ。大相撲の心意気「ごっつあん」は、これでよかろう。

## 二〇一八年夏　椿説　文化的な最低限度

今ではすっかり定着した感がある奇妙な日本語に「就職活動」の略語「就活」がある。「就職活動」なら日本語として意味をなすが、「就活」では「何に就く」のかわからない。就職のほかに、就役、就学、就業、就航、就寝、就任、就眠、就労など、頭に「就」が付く熟語は多いが、これらは、漢字の知識を少しもっていれば、ある程度意味を推測できる。

漢字は表意文字で、一字一字が固有の意味をもつ。これを理解していれば、「就活」などという珍奇な言葉は生まれなかっただろう。「就職活動」を音標文字の平仮名で表記した「しゅうしょくかつどう」を適当に圧縮した「しゅうかつ」ならば、まだ許せるが、その場合であっても、多くの人たちの頭の中には「しゅうかつ」＝「就（職）活（動）」があるだろう。

「就活」という言葉は、現代日本人の知的感性の貧困鈍磨を象徴している。掟破りが習い性で、創造的破壊力をもつはずの、若い学生の間でならば、まだしも、社会の木鐸（ぼくたく）たるべき全国紙までが「就活」を容認しているのは、嘆かわしくも恐ろしい。

「就活」の同音異語に「終活」がある。こちらは、「（人生の）終末期（における）活動」の略語らしく、いつかは万人におとずれる旅立ちを見すえた、心がまえや身辺整理などを含む、もろもろの準備を意味する、おためごかしの奇怪な日本語だ。

誰しも、生あるかぎり何か考えながら暮らしているはずです。取り立てて「終活」などと騒ぎ立てなくてもよいのではありませんか。あれこれ先のことまで思い悩みながら暮らすのも一生。怪しげな論者や業者の言に惑わされることなく、何事もなるようになる、と開き直って生きるのも一生。「坐禅して人か仏になるならハ」とうそぶいた仙厓さんなら、「終活して余生が楽になるならば、喝！」と一笑に付すだろう。

なにくれ計算し、計画を立てても、齟齬をきたすのが人生の醍醐味と考えれば、土壇場に来て、あたふたすることもあるまい。仏徒の日本人の死後は四九日で九分九厘片が付く。

こんなことを考えていた暑い日の昼下がり、古稀を迎えた旧友の松村哲夫君からのメイルを受信。

――「終活」実に気持ちが萎える言葉です。人生これからだと思っている矢先、某金融機関から「いまから帳」という名のエンディング・ノートをいただきました。

即座に返信

――私なら、すぐ突っ返すか、資源ごみ行きだね。

「しゅうかつ」に輪をかけて珍妙なのが、厚生労働省や関係団体が平気で使い、NHKも追随する「医療機関を受診する」という奇妙奇天烈（きみょうきてれつ）な表現。医療機関は組織・施設・建造物です。「医療機関で受診する」「医療機関で（医師の）診察を受ける」これが普通の日本語でしょう。私は、社会保険関係の会合で繰り返し誤りを指摘してきましたが、関係者諸氏は知らぬ顔の半兵衛で、牛に経文、馬の耳に念仏。

憲法二五条にいう「文化的な最低限度」が、生存権保障の水準を明示するとともに、関係機関の知的感性の水準を暗示しているとすれば、文化国家・日本の社会保障は、当分、暗雲に覆われたままか。

およそ一世紀前に、A・C・ピグーは、その著『厚生経済学』（気賀健三ほか訳、東洋経済新報社）において、次のように述べている。「最低生活水準とは正確に何を意味するものとすべきかについて明白な観念を得ることが望ましい。それは主観的な最低満足ではなくして、客観的な最低条件であると考えなければならない。そのうえまた、その条件は生活の一部面だけに限られるものでなく、一般的な条件でなければならない。たとえば、最低の中には、家屋の設備、医療、教育、閑暇、労働遂行の場所における衛生と安全等について、ある一定の量と質が含まれる。」「あたかも「善良な」使用者が、工場法を歓迎する一方で、自らの慣行の改善を、法的基準に先立って良好な状態に維持するように、「善良な」国民も、また常に、その時代における国際的な承認を得ている法律よりもいっそう野心的な国内法を維持するであろう。」

（注）椿説（ちんせつ）＝珍説・珍談・突飛で滑稽な意見や話（松村明『大辞泉』小学館）。日本人の平均寿命が推定三〇―四〇歳の江戸時代後期に、『鎮西八郎為朝外伝　椿説弓張月』『南総里見八犬伝』を書いた曲亭（滝沢）馬琴（一七六七―一八四八年）は、傘寿を超えて、なお現役だった。

## 二〇一八年朱夏　眞の勉強

「齷齪（あくせく）勉強すると云ふことでは決して眞の勉強は出来ないだらう」（福沢諭吉『改訂　福翁自伝』岩波文庫）という言葉に意を強くしたわけではありませんが、いつのころからか「学び心」と「遊び心」で本業本筋とはかけ離れた事象に何かと関心を持って暮らしています。その一つがB級映画「研究」です。

二〇一四年秋に亡くなった、文化勲章を固辞していれば、男を数段上げることができたであろう高倉健さんは、その前年の勲章受章後、映画では「ほとんどは前科者をやりました。そういう役が多かったのにこんな勲章をいただいて……」と語ったそうです。このセリフ、なかなか味わい深く、クールで滑稽ですね。彼の代表作の一つに「網走番外地」シリーズがあります。シリーズ最高傑作の第一作（白黒作品）の舞台は網走刑務所で、受刑者の劣悪過酷つまり不健康で反福祉的な暮らしぶりが、誇張され戯画化されて描かれています。このシリーズは東映制作ですが、その前に純情可憐そうに見えたころの浅丘ルリ子さんがヒロインを演じた日活版の「網走番外地」があることを知る人は、よほどの日本映画通です。

網走刑務所（網走監獄）には、第二次世界大戦直後まで、凶悪犯とともに歴史的な悪法・治安維持法などによって有罪を宣告された「政治犯」や「思想犯」なども収監されていました。それかあらぬか、「網走番外地」シリーズと並ぶ、健さんの代表作「日本侠客伝」「昭和残侠伝（唐獅子牡丹）」両シリーズは、その筋の人たちだけでなく、全共闘世代の反体制派（もはや死語？）の多くの若者の支持を集めました。当時、健さんファンであった友人の話によると、健さん演じる正統派やくざが義理と人情の狭間で耐えに耐えた後に爆発させる意気地に、多くの若者が感情移入して声援を送り、週末深夜の映画館は、しばしば異様な熱気に包まれたそうです。クール・ヘッドはともかく、ウオームよりもっと熱かったであろう、折り目正しいやくざのハートに、きっと多くの若者が共感し共鳴したのでしょう。

『論語』「陽貨」には次のくだりがあり、孔子先生は賭博礼讃者であったわけではないでしょうが、ダラダラグウタラ過ごすよりは、バクチでもするほうがましだ、とおっしゃっています。「飽くまでも食らいて日を終え、心を用うる無きは、難いかな。博弈（ばくえき）なる者有らず乎。之れを為すは、猶お已むに賢れり。」（吉川幸次郎『中国古典選　5　論語　下』朝日新聞社。）

でも、賭博を「職業」にする世界では事情が違ってきます。鉄火場にも出入りしていた、という戦中派世代の山口瞳さんの『酒呑みの自己弁護』（ちくま文庫）――『福翁自伝』ほかで、

〈東京・銀座にあったテアトル東京（銀座テアトルシネマ）最後の日の銀幕。この日、イギリス映画「天使の分け前」が上映された。惹句は「日々を懸命に生きるすべての人に、幸せあれ。」若き日に旧館で当時としては超大型の銀幕で「シネラマ」を楽しんだ：2013年5月29日〉

〈たまに山歩きをしていた学生時代の筆者：伯耆大山〉

福翁の酒好きは有名なので、この種の本を参照しても許されるでしょう―によると、やくざには義理とか人情はなく、すべて経済闘争、ということになります。見方によってはウォーム・ハートにもつながる、あの世界でいう侠気や任侠は、虚構の世界でのお話です。

外国映画―ミュージカル作品も一部あり―には、新旧硬軟入り混じり、刑務所を舞台にした快作・怪作・佳作・愚作・傑作・拙作・大作・駄作・珍作・凡作・名作・力作・労作が目白押しです。思いつくままに観たことがある作品の邦題をアイウエオ順で列挙します。「ショーシャンクの空に」（一九九五年『キネマ旬報』外国映画ベスト・テン一位）ほか、「暁に祈る」「穴」「アルカトラズからの脱出」「監獄ロック」「グリーンマイル」「ゲッタウエイ」「告発」「シカゴ」「ジャスティス」「シャッター・アイランド」「終身犯」「戦場にかける橋」「戦場のメリークリスマス」「第一七捕虜収容所」「大脱走」「小さな独裁者」「手錠のまゝの脱獄」「パピヨン」「暴力脱獄」「ミッドナイト・エクスプレス」「ラッキー・ブレイク」「ローガン・ラッキー」「ロンゲスト・ヤード」などなど。

邦画は、キネマ旬報ベスト・テン一位の「真昼の暗黒」―なぜか小学生のときに私はこの映画を観ている―もあるが、B級の花盛り。梶芽衣子さんの当たり役「女囚さそり」シリーズ、松方弘樹さんの「脱獄」三部作、服役経験がある安部譲二さん原作の「塀の中の懲りない面々」「塀の中のプレイ・ボール」、漫画が原作の「修羅雪姫」「刑務所の中」などなどで、残念ながら、欧米に比べ、質的に貧弱で、際物的な作品が目立ちます。お国柄や国民性によるところもあるでしょうし、日本社会が健全?だからかもしれません。カジノ付きのＩＲ（統合型リゾート）などもってのほかです。

鉄火場―今日でいう反社会的勢力に相当するヤクザなどが開いていた非合法の賭（博）場―からの連想で、過去においては賭博と保険の境界が曖昧で、賭博保険なるものが存在していた時代がヨーロッパにあったことを、ふと思い出しました。加齢とともに増えてきた、こうした現象を私は「突発性記憶覚醒症候群ＹＭ型」と呼んでいます。確かに賭博と保険の技術的仕組みには確率論（大数の法則）の応用という共通の側面があります。さらに、賭博で勝つには、絶対にクール・ヘッドが必要であり、社会保険・社会保障の運営においてもクール・ヘッドが不可欠、という共通性もあります。

もう一つ、何の脈絡もなく、月去り、星が移った今になって、思い出しました。仲間の倍以上続いた学生時代に、さる著名な先生から次の三つの教訓をいただきました。一つ、ヤブ医者に治療を受けることなかれ！ヤブにかかると、助かる命も助からない。だが、医者の世話にならず、生涯を全うすることは難しいし、医者選びはもっと難しい。二つ、ヘボ弁護士に弁護を依頼することなかれ！ヘボに頼むと、無実の罪で刑務所送りになる危険性が増す。それどころか、死刑を宣告されることにもなりかねない。弁護士に頼ることなく、一生過ごすことができれば、幸せだ。三つ、ボンクラ教師に指導を受けることなかれ！ボンクラに教われば教わるほどバカになる。その点、君（私・真屋のこと）は良師に恵まれ幸運だね。

よき師との出会いは偶然によるところ大です。問題は、そのあとで、よき師から、何を、どのように学び、自らの思考と行動に反映させうるかです。似たようなことが、よき先輩や友との関係についてもいえそうです。人付き合いには煩わしい一面もありますが、「之れを為すは、猶お已むに賢れり」といったところでしょうか。

## 二〇一八年秋　落穂拾い

この夏、一〇年近く積読（つんどく）状態でほこりをかぶっていた夏井いつきさんの著書『絶滅寸前季語辞典』『絶滅危急季語辞典』（ちくま文庫）に、病院通いの車中と待合室でパラパラ目を通しました。俳句をたしなまず、滅多にテレビも視ないため、彼女が当世売れっ子の俳諧師であることを、このときまで知りませんでした。にもかかわらず、前記二冊を私がもっていたのは、辞典・辞書・事典と名のついた書籍を一時期買いあさっていた名残（なご）りからでした。つまらなくても、一度開いた本には最後まで目を通す。これが私の読書作法です。二冊の読後感―つまらなかった。

フランス文学者の桑原武夫さんが、俳句を第二芸術（『第二芸術論』講談社学術文庫）とし、他の芸術と区別すべき、という刺激的な論陣を張ったのもむべなるかな、という類の二冊でした。とはいえ、人生同様、読書に無駄なし。『絶滅寸前』から一つ二つ学びました。（晩）秋の季語に「落穂拾い」があり、与謝蕪村に面白くもおかしくもない「落穂拾ひ日あたるかたへ歩みゆく」の句があることを。

そして今年唯一購入した辞典・新村出編『広辞苑　第七版』で、「落穂拾い」に「比喩的に、いったん選び残したものの中から、いくらか良いものを拾い取る」意味があることを知りました。私が知っていた「落穂拾い」は、フランスの画家ミレの作品であり、その背景に『旧約聖書』「レビ記」があること。「汝らの地の穀物を穫るときには、汝ら、その田畑の隅々までをことごとく穫るべからず。また汝の穀物の遺穂を拾うべからず。また汝の果樹園の果をとりつくすべからず。また汝の果樹園に落ちたる果を斂むべからず。貧しき者と旅客のために、これを遺しおくべし。」(『文語訳　旧約聖書　I　律法　創世記　出エジプト記　レビ記　民数記略　申命記』岩波文庫。訳文は一部改変。以下同様。)

どうです。昨今の年金損得論者が、いかに心貧しき人たちであるか、わかるでしょう。社会保障・社会福祉の理念の源流には「落穂拾い」の教えがある、といってもけっして過言ではありません。「落穂拾い」の教えを政策・制度として具現化したものこそ、ヨーロッパにおける社会保障・社会福祉にほかなりません。

負担が増える一方で、給付が削減され、わたしたち年金受給者・年金生活者にとっては厳しい状況が続いていますが、こうした逆風になぎ倒されることなく、力を合わせ、元気に生き抜きましょう。『新約聖書』「マタイ伝福音書」には、「求めよ、さらば与へられん」(『文語訳

〈ともにすでに鬼籍に入ってしまった渓流釣りの名人・地木誠太郎と神伝流達人・井上善博は、筆者が帰省するたびに、季節感たっぷりのヤマメやイワナやアユなどの「釣果」を、「穂」や「果」のかわりに用意して、幼稚園から高校まで同期の仲間たちと歓迎してくれた〉

新約聖書　詩篇付』岩波文庫）とあります。私はキリスト者ではありませんが、元気が出る、よい言葉です。私たち人間が「考える葦」（パスカル）であるとすれば、必ず道は開けるはずです。

　ところで今年は、記録的猛暑、広域水害、逆走台風に加え、政界・官界・教育界・スポーツ界では責任回避の不祥事続出。わけあって断酒中の身だが、今夜は若山牧水にならい、読書と酒で憂さを晴らすとするか。つまみには賞味期限切れの非常食があったはずだ。

白玉の歯にしみとほる秋の夜の
酒はしづかに飲むべかりけり

若山牧水

# 二〇一九年冬　猪突猛進型人物列伝

今年二〇一九年は亥年（いどし）。ならば、この一年を猪突猛進で突っ走るか、と屠蘇気分で年頭の決意を新たにしかけた途端思い浮かんだのが、『三国志』の豪傑・燕人（えんひと）張飛、続いて立ち往生の武蔵坊弁慶。ともに少し粗野で、最後が悲惨。そこで思い切り大胆に視点を変えて、知的猪突猛進型人物を探し出し、勇気と知恵をもらうことにしました。

まず一八六三（文久三）年亥年生まれの徳富蘇峰。蘇峰は号で、本名は猪一郎。彼は、明治・大正・昭和の日本の世論形成に非常に大きな影響を与えた言論人だが、現代的な視点で結果論的に彼の業績を評価すると、日本人と日本を誤った方向に導いた、といわざるをえないだろう。それにしても彼の代表作『近世日本国民史』は全一〇〇巻。聞いただけで目眩（めまい）がしそうだ。読み切るには二〇〇〇万字近くに目を通さなくてはならないとか。内容・質のいかんは別にして、この種の大業は目標を定め猪突猛進する人にのみ可能。

続いて賀川豊彦。彼は、日本における生活協同組合運動の先駆者にして、キリスト教の博愛精神に基づく社会事業家。その業績・言動については評価が分かれるところであるが、ノーベル平和賞の候補にもなった。代表作『死線を越えて』（現代教養文庫）で、彼は次のように、ときに猪突猛進が必要なことを説いている。「人間の世界に住むならば折々茶碗の一つくらい

〈グレイ夫妻（Sir Muir Gray and Lady Jackie Gray）：オックスフォードの Green College での晩餐会：2005 年 6 月〉

割る勇気も出て来ねば駄目だ。」起つべきときには、敢然と起つ。

三人目は「福祉国家の父・近代的社会政策の守護神」と讃えられ、社会保障の改革に一生をかけて勇猛果敢に取り組んだウイリアム・ベバリジ。その代表作は「イギリス型福祉国家のマグナ・カルタ（大憲章）」とも呼ばれる『社会保険および関連サービス（ベバリジ報告）』（一九四二年）。その冒頭部分に次の記述がある。社会保険についての「将来のための提案は、……（中略）……その経験を得る過程で築き上げられた局部的利益への顧慮によって制約されてはならない……（中略）……世界史の上の革命的な瞬間は、革命を行うべきときを意味し、つぎはぎの措置を講ずべきときを意味しない」（山田雄三ほかによる邦訳を一部改変)。むろん、ここでいう革命は、暴力的な革命ではなく、社会保障政策の抜本的・徹底的な刷新・改革を指しています。

最後に、日本ではほとんど知られていないが、三〇数年来の私の友人で、現代のイギリスを代表する医学者にして、行動力抜群の医療政策立案者でもあるミュア・グレイ。彼は、その主著『(科学的)根拠に基づく健康管理』(一九九六年)で、二一世紀における課題への取り組み方は、「正しいことを正しく行う」でなくてはならない、と警告を発しています。猪突猛進で一年を突っ切るにしても、この点を忘れると、個人的にも社会的にも、とんでもないことになりかねない。

これらの先人たちに比べ、近頃の高齢者は物分かりがよすぎないか。「長い物・若い者には巻かれろ」では少々寂しい。今年は猪にならい、本気で牙をむき、年金生活者軽視の社会保障制度「改革」という名の「改悪」に猛反対運動を展開して、驕(おご)る政府を少しあわてさせながら、私たちは百寿を目指し、元気に亥年を走り抜けましょう。

## 二〇一九年春　五月一日改元大変一〇連休

スペイン文化史に詳しい年長の(元)同僚の中山直次さんから新年に届いた賀状に、ちょっと便利で面白い「元号・西暦対応の歌」が詠み込まれていた。一部加筆し紹介します。

――明治の老婆（一八六八）、大正を飛ぶ意地（一九一二）見せて、昭和の地を踏む（一九二六）。平成飛躍（一九八九）し、さらに先行く（二〇一九）。

そして、末尾には「今の世の中、心が寒い」と書き添えてあった。

五月一日に元号が改まる。私は不合理で何かと面倒な元号不要論者だが、この日は私の誕生日で、このたびは天皇の「崩御＝改元」ではなく、「長寿＝改元」で、一〇連休もあり、まずはめでたい。

ちなみに歴史を遡（さかのぼ）ると、一九四五年四月三〇日、ドイツ第三帝国総統ヒトラーが自殺。五月一日、これを公表。七日、ドイツ降伏文書に調印。八日、発効。ヨーロッパにおける第二次世界大戦終結。

「戦後」ある時期まで五月一日は「メイ・デイ＝国際労働者の日」とされ、多くの人たちが旗やプラカードを掲げ、街頭を行進し、集会を開いて、働く者の権利の擁護と確立を、政府に企業に、また広く社会に訴えかけていたが、その後、街頭行進はほとんどみられなくなり、各地で集会が開かれる程度になった。これは、その昔（一八四八年）、マルクスとエンゲルスの代表的共著『共産党宣言』で「失うものとて鉄鎖以外にはない」とされた賃金労働者が、飢餓線上を脱して豊かになり、失うものを持ち、矛盾だらけで課題山積とはいえ、国民皆保険・国民皆年金が実現して半世紀以上経過し、保守化したからだ、といえば、暴論愚説極論僻説（へきせつ）の類か。

メイ・デイは、もともとヨーロッパ・イギリスで、夏の訪れを喜び、豊作を願う祭日であった。労働者の祭典としてのメイ・デイの原点は、一八八六年五月一日に行われたアメリカのシカゴを中心にした八時間労働制要求の統一ストライキと、四日に起こった暴動（ヘイマーケット事件）とされ、これが多くの国々に広まった。日本では、労働団体が東京の上野公園で集会を開き、「最低賃金法の制定」などを訴えた一九二〇年五月二日が、最初のメイ・デイとされている。

元号不要論者の私は、改元がらみの各種行事にはまったく関心がないが、新帝が皇太子になられる前、浩宮殿下時代の一九八〇年代前半、イギリスのオックスフォード大学でピーター・マサイアス教授の産業革命関連の講義を一緒に聴講しており、教室以外でも何度か殿下と話す機会があった。殿下の第一印象は「このお方は普通の日本語をお話しになる」だった。

男女共同参画社会基本法が制定され、女性の時代といわれる二一世紀の今も、日本に女性首相は現われていないし、女帝を認めたくない人たちがずい分いる。だが、天皇は日本国民統合の象徴です。女帝でも、少しも不自然でも不思議でも不都合でもない。神話によると、異説もあるが、皇祖神・天照大神（あまてらすおおみかみ）は女神で、歴史上、女帝が君臨した時代もあった。万世一系の皇統を重んじる人たちが女帝反対を唱えるなど偏狭に過ぎ、新緑にそむき、心が寒くなる。

毎日が日曜日同然の身には一〇連休も他所事他人事（よそごとひとごと）。さあて、でがらしでもすするか。到来物の米屋（よねや）の羊羹がまだ残っていたはずだが。

〈英国オックスフォードの路上で、往時の衣装をまとい、歌い踊って、メイ・デイを祝い楽しむ人たち：2004年5月1日〉

# 二〇一九年夏　レイワ異聞

令和歓迎の浮ついた空気が日本列島を覆っている。共同通信社が今年四月一日・二日の両日実施した「全国緊急電話世論調査」によると、新元号「令和」に「好感が持てる」と答えた人が七三・七パーセントいたとか。だが私の受けとめ方は、これら多数派の人たちとは異なる。四月一日、新しい元号が発表になったとき、まず私は、その音・読みから「零和」、続いて文字からは「巧言令色」を連想した。

〈**零和**〉経済学や数学を少しかじった人や株式投資をしている人などは先刻ご承知の「ゲーム」。これを限られた紙面で紹介するのは少し厄介なので横着をして、新村出編『広辞苑　第七版』（岩波書店）から要約し紹介します。

〔ゼロサム〕合計すると差し引きゼロになること。
〔ゼロサム・ゲーム〕各プレーヤーに配分される利得の和が常に〇（ゼロ）になるゲーム。零和ゲーム。
〔ゼロサム社会〕経済成長が停止して、ある人の取り分が増えると他の人の取り分が小さくなるような社会。

ごく一部の強者や富者がますます驕って豊かになり、圧倒的多数の相対的な弱者や貧者がますます虐（しいた）げられ貧しくなる。こうした傾向を増幅するのが「令和の世」ではないか、と案じられる。

〈**巧言令色**〉おそらく私と同世代のほとんどの日本人が中学生のころ断片的に教わった漢文に、例文として取り上げられていたのが、「巧言令色(こうげんれいしょく)、鮮矣仁(すくなしじん)」。『論語』の一節です。吉川幸次郎『中国古典選 3 論語 上』(朝日新聞社文庫)には、「巧妙な、飾り過ぎた言葉、たくみな顔色、という事柄、乃至は、そういう事柄をもつ人物の中には、仁、真実の愛情、の要素は少ない」とある。

「巧言令色、鮮矣仁。」あの日、誇らしげにテレビに映っていた安倍首相と菅官房長官に謹呈したい金言ですね。その後、首相は、四月三〇日、生前退位のための「退位礼正殿の儀」における天皇皇后?上皇上皇后?両陛下に対する「国民代表の辞」の結びに近い部分で、「末永くお健やかであらせられますことを願っていません」と読み間違えて、YouTube(ユーチューブ)などを通じ一部で大きな話題になりました。正しくは「いません」でなく、「已(や)みません」。

言霊(ことだま)の祝(さき)わう国の国民すべてが、憲法で保障された「健康で文化的な最低限度の生活」を営んでいるにしても、首相たるお方の知的水準がこれでは、悲しすぎて、笑うほかない。対照的に立派だったのが、前年二〇一八年六月二三日の沖縄全戦没者追悼式での、このとき中学三年生だった相良倫子君による、自作の長い平和の詩「生きる」のよどむことなき暗誦。厚顔無恥の政治家先生たちは、彼女の爪の垢でも煎じて飲むがよかろう。いずれ彼女のような若者がどんどん出てくることを期待しながら、顔で笑って、心で泣いて、君子豹変、巧言令色、今年も、東京都年金受給者協会会長として、この水準の諸先生ならばまだしも、多くは慇懃無礼なその秘書さんたちに陳情。何とも切ない。

令和の日浮かれる民に天なみだ　　一樂

（付記）「令」が付く嫌な言葉。令状、威令、禁令、訓令、軍令、県令、厳令、号令、指令、司令、命令、など。いずれにも有無をいわせぬ権柄付くの響きがあり、まっぴらご免蒙りたい。

## 二〇一九年秋　兵は不詳の器

一時中断したこともあったが、毎年八月は、戦争関連の本を読みながら、戦争と平和を考える月にしている。この夏は、五〇数年来の友人で鎌倉在住の松岡洋太郎君に誘われ、日吉台地下壕見学会に参加し、あらためて戦争の空しさと平和の尊さを実感した。「軍」では市民の命も富も守れない。

六月二三日の沖縄慰霊の日からおよそ一カ月半後、二つの原爆忌（八月六日＝広島、同九日＝長崎）と敗戦記念日（八月一五日）に挟まれた猛暑の八月一〇日、横浜市港北区にある敷地面積約一〇万坪の慶應義塾大学日吉キャンパス内の延長二六〇〇メートルに及ぶという日吉台地下壕（連合艦隊司令部跡）を、同保存会の案内で懐中電灯を頼りに歩いた。地下壕は厚さ四〇センチメートルのコンクリートで覆われ、一トン爆弾にも耐える強度を誇っていたが、日吉地区に住む多くの人びとの生命や財産が、米軍機による空襲で失われた。慶應日吉キャンパスの施設が大日本帝国海軍軍令部によって使用されるようになった一九四四年には、すでに日本は、敗色濃厚というよりも、敗戦必至の状態であったにもかかわらず、政府・軍部は、その後一年半余にわたり絶望的な戦争を続け、国内外で多くの人びとに未曾有の犠牲を強いることになる。厚生労働省資料によると、第二次世界大戦中の日本人戦没者数は三一〇万人。

オックスフォード遊学中にセミナーに参加したことがある、ノーベル経済学賞受賞者のアマルティア・センは『人間の安全保障』（集英社新書）で次のように述べています。「国家の安全保障は、何よりも国家を安泰に強固なものにたもつことに重点をおいて、そこで暮らす人びとの安全には間接的にしかかかわりません。」

地下壕見学の前日（八月九日）、長崎原爆犠牲者慰霊平和祈念式典が開催された。田上富久長崎市長による核兵器廃絶の願いを込めた「長崎平和宣言」に続き、被爆者代表の山脇佳朗さんは「平和への誓い」で世界に次のように訴えかけた。「被爆者は日を追うごとに亡くなっています。私はこの場で安倍総理にお願いしたい。被爆者が生きている内に世界で唯一の被爆国として、あらゆる核保有国に「核兵器を無くそう」と働き掛けて下さい。」

「被爆七四周年　長崎原爆犠牲者慰霊平和祈念式典」パンフレットによると、原爆死没者名簿登載者数は一八万二六〇一名。これに対し安倍晋三首相は馬耳東風を決め込み、核兵器禁止条約への参加に否定的な立場を固持し、核抑止力を強調するが、古来「兵は不祥の器にして、君子の器に非ず」(蜂屋邦夫訳注『老子』ワイド版岩波文庫……視力の衰えが著しく、初めて買った「ワイド版」)という。

アジア太平洋戦争が始まった一九四一年には、建て前は労働者福祉と労働力保全=生産力増強、本音は戦費調達と物価騰貴抑制のために、日本初の本格的な公的年金=労働者年金保険制度が創設され、慶應日吉キャンパスが海軍軍令部として使われるようになった一九四四年に、厚生年金保険制度に改められている。社会保険の歴史をたどると、日本だけでなく、イギリスでも、皮肉なことに反福祉の極=戦争と並行して、社会保険制度が誕生し発展した。だからといって、戦争容認のための憲法改正など断じてあってはなるまい。

「操縦桿を両掌に握りしめ……(中略)……俺はやった、と思った瞬間、本田の躰は左右に揺れ、炎に包まれた」(神山圭介『英霊たちの応援歌　最後の早慶戦』文春文庫)。若者を二度と戦場に特攻に送り出してはならぬ。慶應義塾の象徴「ペン」のマークは、一八八五年ごろ、塾生が教科書にあった一節「ペンには剣に勝る力あり」にヒントを得て考案した帽章に始まる(慶應義塾ホーム・ページ)という。

# 二〇二〇年冬　新春ネズミ考

干支が一巡りし、今年は、また子年＝鼠年。ネズミほど、ヒトとの付き合いが長く、古今東西、その評価が大きく分かれる生き物はないだろう。

世界的人気を誇る当代のネズミといえば、一に辰年の一九二八年にアメリカで生まれた万年青年ミッキーマウス、二に日本生まれのピカチュウあたりか。私のお気に入りは、アメリカ製短編動画シリーズ「トムとジェリー」で猫のトムを噛む窮鼠のジェリーに、水木しげるさんの漫画『ゲゲゲの鬼太郎』の脇を固める曲者・ねずみ男。

紀元前六世紀に『寓話』で有名なギリシャのアイソポス（イソップ）は、賢い人は猫かぶりに煮え湯を一度飲まされると、二度と騙されない、という教訓「猫と鼠」（中務哲郎訳『イソップ寓話集』岩波文庫）を残している。イギリスにも、ネズミの賢さを示す「ビール樽に落ちたねずみ」（河野一郎編訳『イギリス民話集』岩波文庫）という話が伝わっている。

紀元前四世紀に人類の動物学的知識を初めて学問的に体系化したアリストテレスは、「ネズミの生殖発生は、［産児数の］多いことと［生長の］速いことでは、他の動物に比べ最も驚くべきものである」（島崎三郎訳『動物誌　上』岩波文庫）と記している。

だが、ネズミは賢さや成長発展の象徴とばかりはいえない。

〈ロンドンのセイント・マーティンズ劇場のロビイにあるThe Mousetrapの上演回数を示す掲示板：筆者が観た2019年9月28日の公演は2万7983回目だった〉

シェイクスピアの『ハムレット』には「おお、ネズミか？ 死ね、どうだ！」（小田島雄志訳『ハムレット』白水Uブックス）という場面がある。

産業革命期（日本では江戸時代）のイギリスの経済学者ロバート・マルサスは、「人口は、妨げられない場合、等比数列において増大し、人間のための生活資料は等差数列において増大する」（永井義雄訳『人口論』中公文庫）と、人口と生活資料の不均衡に警鐘を鳴らした。ここでの「等比数列」をやさしく言い換えると、「ネズミ算」。世界銀行によると、当時より世界の食糧生産量が飛躍的に増大した二〇一五年時点の地球上で、七億人超が飢餓線上で暮している。

日本でのネズミの格付けは両極端。元祖才女・清少納言は、「正月一日(ついたち)は、……（中略）

……君をもわが身をもいはひなどしたる、さまこそをかし」という一方で、「きたなげなるもの　鼠のすみか」（松尾聰ほか訳・注『枕草子［能因本］』笠間書院）と一刀両断。博覧強記の国際人・南方熊楠は、いくつか理由を挙げ、「適宜に過殖を制したら鼠は最も有用な動物」（『十二支考　下』岩波文庫）という。

中国三大奇書の一つとされる『西遊記』（呉承恩作・伊藤貴麿編訳、岩波少年文庫、全三巻）には、孫行者（孫悟空）が「どぶネズミ」に化け、情報を収集する場面が一カ所ある。

イギリス最古のオックスフォード大学アシュモール博物館に、昨二〇一九年秋時点で展示されていた絵で、鼠が描かれているのは学芸員にも確認したが、「蛇のいる静物画」だけだった。

最後に景気がよい話題を一つ—ロンドンのセイント・マーティンズ劇場では、アガサ・クリスティの戯曲「ねずみとり（ザ・マウストラップ）」（鳴海四郎訳『ねずみとり』クリスティ文庫）が、辰年の一九五二年以来二万八〇〇〇回超の公演世界記録を更新中。英語の伝承童謡『マザー・グース』の「三匹のめくらのネズミ」（谷川俊太郎訳『マザー・グースのうた　第五集マザー・グースのおっかさん』草思社）を知っていると、観劇満足度三倍増。小鼠畏(おそ)るべし。

（注）「めくら（盲）」は、今では差別用語とされるが、洋の東西を問わず、数世紀前の子どもたちが「目が不自由なネズミ」などと歌っていたはずがない、と考え、Three Blind Miceを「三匹のめくらのネズミ」と訳した。日本のおとぎ話・昔話の「一寸法師」「はちかつぎ姫」「こ

ぶとり爺さん」「乞食のくれた手ぬぐい」「牛女」などは、すべて今では差別的な話になる。

## 二〇二〇年春　青春読書彷徨始末

多感な思春期・青年期に、ヘルマン・ヘッセの『青春彷徨』（岩波文庫）や『車輪の下』（新潮文庫）を読み、共感し感激した人は多いであろうが、若いころの私の感性は古き貧しき時代のバンカラ体育会系のそれに近く、どちらも読みはしたが、心に響くものはなかった。それでも読書は大学生活において必須とだけは漠然と考えており、大学入学時に、フランス文学専攻の下宿の先輩に初心者向けの小説を何冊か推薦してもらった。

まったく受け付けなかったのがプルーストとジッド。面白かったのがスタンダールの『赤と黒』（岩波文庫）と『パルムの僧院』（岩波文庫）。この二作品はジェラール・フィリップ主演で映画化されている。彼は、知的で繊細で容姿端麗、しかも情熱的で行動力抜群の青年を演じることができた、稀有の俳優でしたが、三六歳で亡くなっています。

その後の私の青春読書彷徨は磁石なしで続く。一部紹介する。孔子『論語』、羅漢中『三国志演義』、ホメロス『イーリアス』、プルターク『英雄伝』、シェイクスピア『アントニーとクレオパトラ』、ディケンズ『オリバー・ツイスト』、フランクリン『自伝』、トゥエイン『トム・ソーヤーの冒険』、ヘミングウエイ『武器よ さらば』、フォレスター『ホーンブロワー・シリーズ』……新井白石『折りたく柴の記』、福沢諭吉『福翁自伝』、漱石『坊ちゃん』、鷗外『青年』、泣菫『茶話』、大佛次郎『赤穂浪士』、河合栄次郎『学生に与う』、中島敦『李陵』、吉川英治『宮本武蔵』、富田常雄『姿三四郎』、山本周五郎『虚空遍歴』、坂口安吾『二流の人』、五味康祐『喪神』、三島由紀夫『潮騒』、石原慎太郎『青年の樹』、北杜夫『どくとるマンボウ青春記』、井上ひさし『モッキンポット師の後始末』、司馬遼太郎『燃えよ剣』、鈴木隆『けんかえれじい』、丸谷才一『たった一人の反乱』……日本戦没学生記念会編『きけわだつみのこえ』、林尹夫『わがいのち月明に燃ゆ』、吉田満『戦艦大和ノ最後』、野間宏『真空地帯』、伊藤正徳『連合艦隊の最後』、大岡昇平『野火』……

そして行き着いた結論―戦争は絶対に悪であり、絶対にしてはならない。戦争は福祉の対極にある。いかなる大義名分が掲げられようと絶対に容認できない。目的は手段を正当化しない。異論があれば、正正堂堂公明正大な議論をいたしましょう。

「すぐには役に立たない本によって、今日まで人間の精神は養われ、人類の文化は進められてきたのである。……（中略）……本を読んで物を考えた人間と、まったく読書をしないものとは、明らかに顔がちがう。」これは小泉信三『読書論』（岩波新書）の一節です。小泉博士は、明仁(あきひと)上皇が皇太子時代の師であり、『共産主義批判の常識』（講談社学術文庫）の著者としても知られる経済学者です。

博士の見解が正しいとすれば、おそらく読書とは無縁の、また過去においてもそうであっただろう、信じがたいほど母国語の素養に欠け、論理的思考ができない人物による統治が続く国は、いずれ世界の精神・文化の発展から取り残されることにもなりかねない。地球規模の異常気象も国境なき新型肺炎も怖いが、こちらのほうがもっと怖い。

## 二〇二〇年青春　長所を磨いた逸翁　おおTAKARAZUKA

先ごろ、阪急東宝グループに属する宝塚（少女）歌劇団の創始者・小林一三翁について調べたいことがあり、翁の著書『私の行き方　阪急電鉄、宝塚歌劇を創った男』（ＰＨＰ文庫）に目を通しました。この本の最初の刊行は、ちょうど今から八五年前の一九三五年ですから、時代を感じさせる記述が随所に見られます。でも論旨明解でとても面白かった。断章を書き抜きます。

〈熱狂的宝塚ファン必読〉
私共の少女歌劇というようなものが永久に存続しようとは考えておりませぬ。あれは不自然の産物で、現在ではああいう不自然の産物が存在しておりますけれども、あれは当然いつかは男が入って、男性と女性と共演するオペレッタになるのが本当であります。宝塚少女歌劇はある点において「仁丹芸術」であり、「味の素芸術」であり、「キャラメル芸術」である事をもって満足しているのである。

〈補足〉「仁丹」は、筆者が子どものころ、子どもにとっては決して心地よいとはいえない大人（オジサン）固有の匂いがする、得体が知れない銀色の小粒の物体だった。いつのころからか、「仁丹」の看板が街頭から消え去り、「仁丹」特有のにおいを漂わせる人も周囲から消えてしまった。若い人たちで「仁丹」を知る人がどのくらいいるだろう。

〈サムライ・ブルー／侍ジャパンの応援団諸君必読〉

甲州は武田が滅びたあと、徳川家康がやって来て、城を築きかけて成らず、……（中略）……幕府の直轄という事になって、勤番支配に移ったもんだから、そこでそら、武士階級というものがこの国にだけは存在しなかったんだ。僕たちは士族なぞちっともえらいとは思わなかったよ。思わないどころか、むしろ大いに軽べつしていたさ。

〈補足〉筆者は、日本大学商学部図書委員会編『砧通信』第三九号に「思考のエクササイズ　考エナイ脚」を寄稿し、「日本人ハ考エナイ脚（あし）ニナッタ！」と言明し、「サムライ・ブルー」とその支持者の方がたを徹底批判しています。サッカー好きには、この小論、いささか刺激が強すぎるかもしれません。

〈若いニート・フリーター諸君と保護者の方がた必読〉

燃ゆるがごとき希望を持たねばならぬ。誇大妄想狂の描くような空想であるとしても、何らの希望も野心もないよりは、はるかに良い。

〈私的体験〉筆者は、確たる当てもなく、大学に授業料を九年間払い続けました。

〈アルバイト中毒の学生諸君と保護者の方がた必読〉

世の中が、せち辛くなった所為でもあろうが、学校にいる間からいろいろ奔走するようでは、学校のことがお留守になって、本当の人間などできるものじゃない。今の世の中では、そうしなければならぬようになっているから、仕方がないけれども、むしろ三月三一日まで学校にいる間は学校の事を一生懸命に朗らかに勉強しておって、さて明日どこへ行ったら雇ってくれるだろうと考えるような人があったら、その人をすぐ雇ってみたい。そういう人は与えられた当面の仕事に全力を挙げてまじめにやる人である。また、そういう人は、いったん社員になっても必ず他に勝つ人だ。学生が在学中に休暇などを利用して社会の実際事業について実習をするというようなものがたくさんある。しかしこれは考えものである。多少の経験を持っているために利益するところよりも、それが害になる事の方が多い。

〈補足〉本書に先立って出版した拙著『不思議の国イギリスの福祉と教育—自由と規律の融合—』

（芦書房、二〇二一年）所収のコラム「勉強しない自由」を併せてお読みください。

〈適応障害を起こしかけている若い勤労者諸君必読〉
自分の希望している事は達せられないのが原則だと思わなければならぬ。世の中へ出るのは、つまり自分の思うようにならないという事を経験するためである。では、愉快に働くにはどうしたら良いか。その日その日の仕事をその日の中に片付ける事、手近のものを始末する事。身の周りのものを完全に処置してゆく事は、手近なものに対する希望を持つ事であり、これはやがて仕事の分量が日ごと日ごとに愉快に増えてゆく事なのだ。青年よ、希望に生きよ！血の燃ゆる若い者の理想には力と熱がある。

〈標語〉「一日一善」は容易でないが、体力気力ほか、すべてに衰える一方の筆者は、「一日一事」を目標に一日一日を楽しく過ごしている。

〈服飾・美容関連業界で働く皆さん必読〉
いかなる種類のものでもどこかに「美しさ」があるものだが、ご婦人自身が「私には『美』があるでしょう、あなたは私の『美』がわかりませんか」というふうに気どる時、その婦人の持つ醜さのみがありありと浮かび出るもので、男は反感を持つものである。

〈難問〉「美」の基準は何か。「美」と「醜」の境界は何処にあるのか。何もかも個性として認め合わなくてはならない社会で生きることは、とても難しい。服飾・美容関連業は、果たして「実業」なりや否や。他人に対する評価は、男性よりも女性のほうが厳しいように感じることが多いが、どうだろう。

〈国防亡国？ 内閣総理大臣閣下と忖度諸先生必読〉

一家のうちであっても、親子の間柄ですら、親の思う通りに子どもはならないではないか。兄弟姉妹の中においてすら、お互いに思うようにならないではないか。いわんや社会は他人の集まりである。他人の中に入って自分の思う通りになると期待していたら、そこには当然失望があるのみである。何事によらず無理は禁物である。今の政党を国民は信用していない。国民が政治に冷淡であって、平素門外漢であり、風馬牛であるために、政治家なる者が勝手に国民の声だとか国民の力だとか、自分達に都合の良い事を叫ぶのである。これは、まじめな人が政治家にならない結果である。

〈自業自得〉山田忠雄ほか編『新明解　国語辞典　第七版』（三省堂）には、「自業自得」とは、「〔仏教で〕すべての不結果は、以前に自分が行なった良くない行為の報いに基づくとする考え方」とある。とすれば、不出来な政治家を信じた私たち選挙民が愚かで、間違った投票行動をした、とあきらめる以外ないか。というわけで、無節操な政治家諸君、君たちの利権は当分安泰だ！

〈読後感〉

このように、八五年前の書物に、現代に十分通じる内容がふんだんにちりばめられています。明治人の気骨と先見性を垣間見る思いがしませんか―この間、日本人は進化しなかった！ただし、鵜呑みは厳禁！『私の行き方』冒頭の章は「使う時・使われる時　教訓談中毒患者」となっており、「何人も持つ自分自身の長所を顧みて、それに磨きをかける人の多からん事を切に希望する」と結ばれている。

私には小林姓の友人知己が大勢いますが、一八七三年生まれの小林一三翁にお目にかかったことは一度もありません。あえて翁との因縁をこじつけると―翁は大学の先輩／一九五八年四月一日の宝塚大劇場での悲惨な出来事を、私は客席にいて目撃している（空前絶後の惨事は奈落で起こったので、惨状は目にしておらず、悲鳴を耳にしただけ）／私より野球が下手だったが、野球狂の生涯を貫いた幼馴染みが、若き日、阪急ブレイブスの投手だった。

漱石先生が『草枕』でおっしゃるように、とかくに住みにくい今の世ですが、宝塚にならい、「朗らかに、清く、正しく、美しく」生き抜こう！

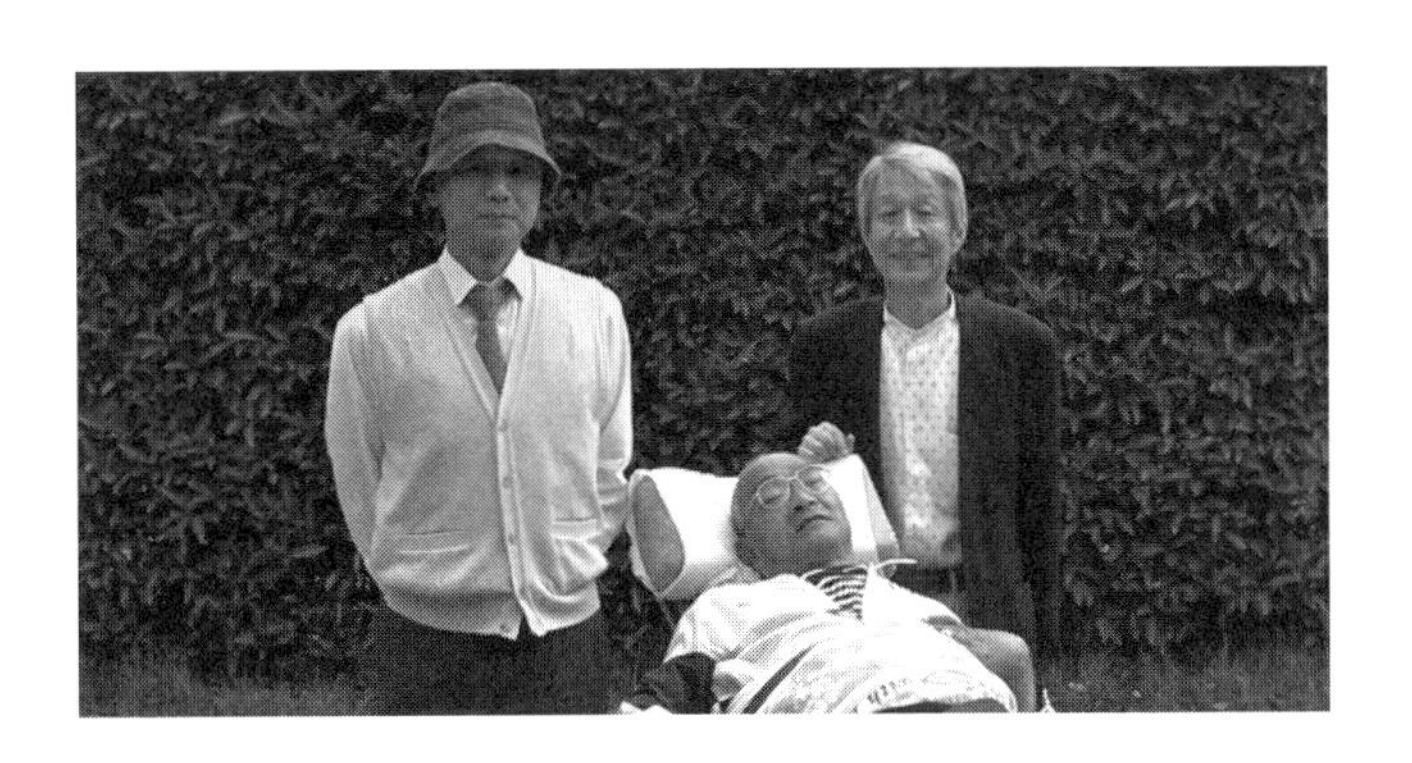

〈ともに小学校から高校まで一緒で兄弟同然だった誕生日まで同じ「シゲ」こと小林茂吉（右）と千葉大学医学部在学中の不慮の事故による病床50年に耐えた「黒丸大将」こと黒山宏志（中）との交流は、2人が旅立った60代半ばまで続いた：2003年5月、東京・北の丸公園〉

〈2009年3月から2020年3月まで、店内に赤ちょうちんがぶら下がり、貧しかった昭和の雰囲気と心(うら)悲しさを残す、神田ガード下「宮ちゃん（別名・ふじくら）」（2021年3月に耐震工事のため閉店）で毎月第3水曜日に開催した、最後まで仮称だった大学のクラス会「商Ｐクラスの夕べ（仮）」（後列左端が筆者で、その隣が（旧）級友で店主の宮腰正英君）。秋田、富山、神戸からの参加者もあり、毎年1月には鹿児島在住の旧友から薩摩揚げの差し入れがあった。女性のゲストも多く、ときには20名を超える仲間とゲストが集った：2009年6月〉

# 二〇二〇年夏　巷説 今昔物語　未知との遭遇

其疾如風其徐如林侵掠如火不動如山（そのはやきこと風の如く、そのしずかなること林の如く、侵略すること火の如く、動かざること山の如し）（金谷治訳注『孫子』岩波文庫）。これが昨今大騒動の新型コロナウイルス。まことに手強い。以下は、コロナ感染の恐れがなく、金のかからない、古人にならった、憂さ晴らしの手すさびです。

・勝てぬもの

〈昔〉泣く子と地頭

〈今〉コロナと地震

・不安

〈昔〉泰平の眠りを覚ます上喜撰（緑茶の銘柄）たった四杯（しはい）で夜も眠れず

〈今〉一億の眠りを覚ます新コロナたった四月（よつき）で緊急事態

・妙案

〈昔〉三十六計、逃げるに如かず

〈今〉三十六計、自粛の延長

それにしても、政府や東京都ほかのお上の難敵コロナウイルス対策には、「願わくは、我に七難八苦を与へたまへ」と三日月に祈った戦国の豪勇・山中鹿介幸盛（やまなかしかのすけ）も、「辛酸入佳境（しんさんかきょうにいる）」の名言を残した日本初の公害告発者・田中正造翁も、首を傾げ、いつまでたっても日本は進歩なしか、と嘆いていることだろう。ごく一部の人たちを除き、圧倒的多数の市民が七難八苦辛酸詰めで身動きが取れず、自粛自粛自粛で窒息しそうな今、権勢の頂点に立つ方がたが緊急になすべきは、粗製乱造のマスクの配布や深刻ぶって情に訴える要請などではなく、根拠に基づく（エビデンス・ベイスト・）政策（ポリシー）＝科学的・効果的な対応だろう。

・いろはかるた（い）
〈昔〉犬も歩けば棒に当たる
〈今〉犬の散歩もマスク着用
いろはかるた（ろ）
〈昔〉論より証拠
〈今〉論より検査
いろはかるた（は）
〈昔〉花より団子
〈今〉花よりワクチン

・心にかなわぬもの

〈昔〉賀茂川の水　双六（すごろく）の賽（さい）　山法師

〈今〉コロナの流行　五輪の中止　聖女アッキー

・都ニハヤル物

〈昔〉夜討（ようち）　強盗　謀綸旨（にせりんじ）

〈今〉官邸官僚　出たがり都知事　愚挙愚策

・教訓

〈昔〉三矢（さんし）の教え

〈今〉三　密（密閉密集密接）の教え

・作法

〈昔〉三尺下って師の影を踏まず

〈今〉一米離れて感染防止

〈通勤時間帯にもかかわらず、乗客の姿が見えない小田急線各駅停車：2020年4月〉

・奥義

〈昔〉兵は拙速を尊ぶ

〈今〉防疫は迅速を尊ぶ

・刻苦

〈昔〉力一杯、貯蓄は二倍

〈今〉休業限界、負債は二倍

・抑圧

〈昔〉贅沢は敵だ

〈今〉外出は敵だ

・我慢

〈昔〉欲しがりません勝つまでは

〈今〉欲しがりません戒名までは

・禁忌

〈車の姿が見えない都心の道路（中央奥が虎ノ門）：2020 年 4 月〉

〈昔〉パーマネントはやめませう
〈今〉パチンコ・麻雀・大学は駄目よダメダメやめましょう

・便法
〈昔〉一億総懺悔―戦争責任免責獲得
〈今〉一億総感染―コロナウイルス免疫獲得

コロナの世界的な大流行(パンデミック)下での大きな謎―某国では緊急事態宣言発出後一カ月の時点（二〇二〇年五月七日）で、三密どころか密室密会密事密談密議密計密謀密約の八密（＝蜂蜜）がお好きらしい首相、公費を使い、時を得顔で選挙の事前運動まがいの要請をテレビで連日垂れ流す、政界渡り鳥の首都の首長ほか、政界の要人が誰も新型コロナウイルスに感染していない。英国首相は早々と感染し、死線をさ迷った末、復帰しているというのに。仕事の質量の差かな？

・希求
〈昔〉最後には神風が吹いて日本は必ず勝つ
〈今〉最後には新薬が開発されて人類は必ず生き残る

（注）本小論は、二〇二〇年五月二〇日時点での状況を踏まえてのものです。新型コロナウイルス感染症の犠牲になられた方がたのご冥福を心からお祈り申し上げます。

## 二〇二〇年秋　ヒップ　ヒップ　フレイ！

八月一日、関東地方はようやく梅雨明け。この間、熊本県をはじめ各地で豪雨による大きな被害が出ました。心からお見舞い申し上げます。長雨に、うんざりさせられているところに、コロナ禍第二波の襲来。そして、ともに愚策愚挙の日本国政府と東京都の対応に大きな齟齬（そご）が生じるなど、国民・都民は大迷惑。こんなときこそ明るい話題が欲しいものです。

日本の話ではありませんが、あります。一七歳の少女が、七月二〇日、約一億二三〇〇万円を手にしました。遺産が転がり込んだのではありません。宝くじが当たったのでもありません。地球温暖化防止に寄与したことが評価され、ポルトガルの首都リスボンにある、芸術・科学・教育などの助成を目的とするカルースト・グルベンキアン財団から、スウエーデン人の少女に「人類のためのグルベンキアン賞」が授与され、その賞金が上記の金額だったのです。

彼女の名前はグレタ・トゥンベリ。昨二〇一九年には、ノーベル賞受賞が期待される一方で、頭が固い一部の権力の座にある大人たち、その筆頭ともいえるブラジル大統領ボルソナロ氏からポルトガル語で「ガキ」を意味する「ピラリャ」呼ばわりされ、毛嫌いされた少女です。こ

〈オックスフォードの目抜き通りを埋め尽くす気候変動をもたらす活動・事業に反対・抗議する老若男女の市民デモ／左手前の少女が掲げるプラカアドには「目覚めて、メタンを嗅げ（WAKE UP AND SMELL THE METHANE)」の文字が読み取れる：2019年9月〉

のお方は、「コロナはちょっとした風邪」と発言したり、マスクの着用を拒否したりで、たびたび物議を醸した挙句、コロナに感染しました。これに対し、グレタさんは、賞金を地球温暖化防止に取り組む団体やプロジェクトに寄付するそうです。一億円程度で地球の温暖化を防ぐことはとうてい無理にしても、彼女の志は立派です。彼女と大統領の頭の中は、どちらがガキか、本物のガキにだってわかるはずだ。我らが寸足らずマスク首相やマスク・ファッション・モデル気取りの都知事は、どう判断されるだろう。お二人には地球の温暖化や気候変動など眼中になさそうだ。

　グレタさんとの面識は私にはない。彼女の存在を知ったのは昨秋です。英国滞在中の九月二一日、私は、牛津（オックスフォード）大学ボドリイ図書館の入館証を入手するため、図書館事務室に出向き、所定の手続きを終えて、館外に出たところ、通りにプラカードを持った比較的若い人たちがあふれ、母親らしき若い女性たちが子どもを乳母車（ベビイ・カア）に乗せたり、子どもと手をつないだりして歩いている姿が、目についた。歌い踊りながら行進している一団もあり、実に明るく楽しげでしたが、行進・集会の目的は深刻で、子どもたちの将来を危うくする気候変動による環境悪化の元凶ともいえる各国の政府や企業に対する抗議でした。これがきっかけで彼女の活動ぶりを知り、その言動に関心を持つことになりました。

ところで英国のＮＨＫともいうべきＢＢＣ（BBC One The Andrew Marr Show,19 April 2020）によると、牛津大学のセアラ・ギルバート教授がコロナウイルスに有効で副作用が少ないワクチンの開発に成功し、この秋にも実用化の可能性が出てきているとのこと。私が先ごろ希求した「最後には新薬が開発されて人類は必ず生き残る」は思いのほか早く正夢になりそうです。『易経』（高田眞治ほか訳、岩波文庫）にいう「積善之家必有餘慶（せきぜんのいえにはかならずよけいあり）」とは、こういうことだったのか。特別定額給付金が振り込まれたら、グレタさんとギルバート教授に貧者の一灯を献じよう。

（注）「ヒップ　ヒップ　フレイ！」は、イギリスで誰か／何かを讃えるときの掛け声で、「いいぞ！いいぞ！○○」「○○万歳」くらいの意味。

（付記）このときの首相は健康上の理由で二〇二〇年八月二八日に辞任を表明し、都知事は七月五日の選挙で再選を果たした。ただ、残念ながら、二〇二一年六月時点では、いつになると、すべての人びとにワクチン接種ができるのか、まだ不明。筆者は七月二六日に第一回目の接種予定。

## 二〇二一年冬　新諸国物語　牛の贈り物

新型コロナウイルス感染症に有効なワクチンや効果的な治療法が開発されないうちに新年を迎え、単純に新春を寿ぐ気分になれないところですが、「明けまして、おめでとうございます」の一言が欠かせない日本のお正月。大みそかから元旦にかけて、コロナ退散を願い、初詣でをし、賽銭を奮発された方も多かったことでしょう。神頼み仏頼みでコロナ退散がかなうのであれば、賽銭増額も苦になりませんが、ことはそれほど簡単ではなさそうです。

丑年の年頭、牛にまつわるめでたい？話となると、英国のエドワード・ジェンナーによる牛を宿主とするウイルスを利用する種痘（牛痘接種）法の開発（一七九六年）が真っ先に頭に浮かんできます。乳搾りなどをして牛と接することで自然に牛痘にかかった人間は、その後、天然痘にかからなかったことから、ジェンナーは天然痘予防に牛痘の利用を考え付いた。それからほぼ二世紀後の一九八〇年に世界保健機関（ＷＨＯ）が天然痘根絶を宣言。

国立感染症研究所によると、日本での天然痘の流行は次のとおり。明治年間に患者数二万―七万人（死亡者数五千―二万人）規模の発生が六回、第二次世界大戦後の一九四六年に患者数一・八万人（死亡者数約三千人）に達する流行で、緊急ワクチン接種などが行われて沈静化。一九五六年以降、国内での発生なし。

一八世紀末からの二世紀と今とでは医学の進歩の速度に天地の開きがあります。新型コロナウイルス感染症もきっと遠からず克服できる、と信じたい。一般に信じる対象の代表は神や仏だが、鰯の頭や下駄占いだって馬鹿になりません。

壮大な構えの物語としても楽しめる『旧約聖書』「出エジプト記」には、モーゼが鋳造の子牛（金の子牛）を燃やし、偶像崇拝を戒める迫力満点の場面があるが、牛に罪があったわけではない。牛を神の使いと考えるヒンドゥー教徒の多いインドの「マクドナルド」のメニューにはビーフ・バーガーがありませんでした。

よく知られた信州の民話「牛に引かれて、善行寺参り」の主人公は意地悪で強欲な婆様だが、牛のおかげで、結末は、めでたし、めでたし。でも、なぜ主人公が意地悪で強欲な婆様だったのか。こちらもよく知られた日本のおとぎ話「花咲か爺さん」「舌切り雀」にも、意地悪な爺さん婆さんが敵役（かたきやく）・憎まれ役で登場します。思うに、今と違い貧しかった時代の日本には、意地悪で強欲な爺さん婆さんが少なからずいたのでしょう。社会全体が貧しく、人びとの健康状態も劣悪で、多くの人びとは心身ともに極度に疲弊しており、長生きできても、自ずと眉間にしわが寄り、気難しくなりがちだったのではなかろうか。こうした社会の貧困が「姥捨て」や「子消し（コケシ）」「間引き」にもつながったのでしょう。

あまり期待できそうもありませんが、年金・医療・介護ほかの拡充を今年も政府に強く働き掛けていこうではありませんか。ワクチンも年金も、「求めよ、然（さ）らば与へられん」（『文語訳

〈インドの農村で見かけた牛：2007 年 1 月（上）／
牛の絵が面白いオックスフォードの教会のカフェ・
テラスのアイス・クリームの看板:2009年10月(下)〉

新訳聖書　詩篇付』岩波文庫）を信じ、世界中の高齢者と連携して声を大にし、コロナ根絶と福祉の充実を求めましょう。

## 二〇二一年春　水平目線　老害の嘆

今年は一二四年ぶりに節分が二月二日、立春が三日でした。例年なら花見を楽しむ、この時季、春は名のみのコロナの怖さ。いまだに地球規模でのコロナ禍の先行きを見通すことができない不安な日々が続いています。

「無学無能無言無答無知無恥無為無策」の世評が定着し、質問にはまともに答えられない、発言すると、四方八方からたたかれる、我らの首相・菅義偉君。私を含む日本人の資質の劣化が大変な時期に明らかになりました。ああ、情けない。

かつて「沈黙は金」といわれた時代もありましたが、今は違います。ましてや政治の頂点に立つ人物が、自分の言葉で自分の考えを語れない、政策を論じることができないなど、欧米諸国では考えられない。語ると、コロナ禍による生活困窮者に対する支援策として、「政府には生活保護という仕組みも最終的にはある……（中略）……セーフティーネットを作っていくのが大事」（二〇二一年一月二七日の参議院予算委員会での発言）などと、頓珍漢なご発言。

あらためて、いうまでもないであろうが、日本国憲法第二五条「すべて国民は、健康で文化的な最低限度の生活を営む権利を有する。国は、すべての生活部面について社会福祉、社会保障及び公衆衛生の向上及び増進に努めなければならない。」に対応するのが生活保護制度で、受給に際しての最大の難関＝資力調査(ミーンズ・テスト)は、コロナ禍による生活困窮者支援にはなじまない。首相の準おひざ元の神奈川県小田原市では、市職員が「HOGO NAMENNA(保護なめんな)」「ＳＨＡＴ(生活保護悪撲滅チーム)」などの文字入りのジャンパーを着て、生活保護受給者（被保護者）宅を訪問していたことが、『毎日新聞』ほかで報じられたのは二〇一七年のこと。かく日本の公的機関においてさえ、いまだに生活保護に対する差別と偏見が根強く残っている。首相、お忘れですか？

さらに注目すべきは、生活保護受給者に占める高齢者の割合が非常に高いこと。厚生労働省「被保護者調査」（二〇二一年一月分概数）によると、一六三万八一八四被保護世帯の五五・三パーセントを高齢者世帯が占めている。首相、どう考えますか？ 首相が大好きだったらしい、情報収集のための、毎朝のホテルでの会食では、こうしたことは話題にならなかったでしょうね。

コロナ禍がらみで、またぞろ「老害」という言葉が、相対的に若い世代を中心に人口に膾炙するようになった。国民病といえば、「昔、労咳（肺結核）、今、老害（権勢欲）」といったところか。元凶は、首相を筆頭に、（元）首相の（現）副首相、強面(こわもて)の与党幹事長、もう一人の（元）首相で（前）東京五輪組織委員会会長。皆さん七〇―八〇歳代で、ほぼ私と同世代だが、私との共通点や接点は皆無。高齢者にもいろいろあります。高齢者の言動だからといって、すべて老害扱いしないでくださいね。

国権の頂点に立つ人物とそのお仲間が、そろって厚顔無恥、そのうえ、まともな議論は大の苦手で、裏技や忖度には超絶技巧を発揮する、などという国が、「健康で文化的な」国家といえるだろうか。

気品なく博学ならざる薄学の内閣総理大臣閣下に奉る　よみ人しらずのガースー惨歌

スー惨の政治算術一事が万事　利権忖度身内厚遇
スー惨の力の源恥知らず　その場しのぎの愚策濫発
スー惨の思考回路は複雑怪奇　歪曲詭弁支離滅裂
スー惨は巧言令色鉄面皮　うすら笑いで営業制限
スー惨は日本にいても頓珍漢　何しに出かける国際会議
スー惨は運否天賦（うんぷてんぷ）の神風頼み　民意軽視の五輪開催

この小論、昨今の風潮からすると、上から目線になるのかな。ならば平にご容赦。風狂老人の水平目線の憂国の賦のつもりです。

〈薄学のガースー君は聞く耳持たないであろう最後の友情ある説得〉

「福祉」を「投資」とする考え方があります。この考え方を突き詰めていくと、高齢者や障害者などの多くは社会的に切り捨てられることになる。市場経済社会において、収益・利潤を期待できない投資はありえない。介護やバリア・フリー化やユニバーサル・デザイン化によって、高齢者が現役世代にまじってバリバリ働くことができるだろうか？ 障害者が健常者と同じ条件で同じように働くことができるだろうか？ 答えは、いずれも否である。福祉的な発想・政策・制度は、市場経済の原則／企業経営の論理とは異なる次元の、いわば人間中心主義によるものでなくてはならない。これで西欧諸国は高い生産性を維持している。

ＩＬＯ（総務省統計局『世界の統計』二〇二一年版）によると、日本では六五歳以上で働いている人の割合は四人に一人なのに対し、英国では一〇人に一人、フランスでは三〇人に一人（二〇一九年）。日本の高齢者は働くことが心底好きなのだろうか。ならば、社会の役に立つ仕事はいくらでもあるから、できること／したいことをどんどんやれば、よい、無償のボランティアとして！ 働き続ける高齢者の多くは必ずしも働くことが好きなわけではなかろう。年金頼みの生活は心細いため、多くの高齢者が働き続けざるをえない。これが実情であり、本音だろう。生活保護受給者には高齢者が多い。年金生活者のすべてが豊かなわけではない。

忖度が大好きなガースー君、福祉の問題は、投資＝利潤の追求とは別の次元で、高齢者や障害者の立場に立って忖度しなくては駄目ですよ。わかりましたか。

# あとがきがわりの慷慨

すべてに自然体の学び心と遊び心で
抵抗と批判を続けるうちに
不要の存在と化す!

岡山県新庄川

Port Meadow, Oxford

**学者といふものは、自分に都合の悪い事は、古文書であらうが、新聞紙であらうが、「これは嘘だよ。」と一口に言ひ消すだけの勇気がなくてはならぬ。**

薄田泣菫（谷沢永一ほか編）『完本　茶話　中』冨山房百科文庫

**〈卑見〉**

学者・研究者でない教員が氾濫する昨今の大学。何年間も論文1本書かない、否、書けない教授がけっして珍しくない。その一方で、学生は、局限された自らの経験や知識の断片と異なる意見や発言を理性的・論理的にとらえることができず、「本物」と「似非」の区別がつかず、しばしば「本物」を感覚的・感情的・表層的に「上から目線」として拒絶する。でも、若い彼ら・彼女らは、その評価は別にして、高度情報化無責任匿名社会を担う、新しい文化の創造者でもある。少し長い目で見守らなくてはならないだろうが、私の持ち時間は時々刻々減少の一途。こればかりは、いかんともし難い。

# あとがきがわりの慷慨

ここまで書き連ねた小論六〇編余りが、「気品」の連合の一つ「気概」の亜種ともいえる「瘠我慢」と「抵抗・批判の精神」の発露になりえていましたでしょうか。

学生時代、漢文漢詩の素養など皆無でしたが、なぜか李攀竜（りはんりょう）が編纂した（といわれる）『唐詩選』巻首の魏徴の詩「述懐」の結びの四句が心に響きました。引用は、高木正一『新訂　中国古典選　第一四巻　唐詩選　上』（朝日新聞社）によります。

季布　二諾無く
侯嬴（こうえい）　一言（いちごん）を重んず
人生　意気に感ず
功名（こうめい）　誰（たれ）か復（ま）た論ぜん

漱石先生の『草枕』（岩波文庫）での教えに背き、智―筆者にとって正しくは痴というべきかもしれない―に働いて角を立て、情に掉（さお）さしながら流されることもなく、瘠我慢で意地を通して窮屈に、とかくに住みにくい人の世を、学び心と遊び心で楽しく過ごしてきました。そして古稀を過ぎ、喜寿に近付き、心身の老化を折に触れ痛感せざるをえなくなった昨今、加齢による記憶力の減退著しく、漢文漢詩どころか、しばしばありふれた教育漢字すら思い出すことが困難な日常の中で、ときどき「述懐」の第四句「慷慨（こうがい）志（こころざし）は猶（な）お存（そん）せり」を思い出すことがあります。以下は、その連辞ともいうべき本書の結びです。

### 〈我が述懐〉

魏徴に倣いて　人生意気に感ずるも動悸息切れ目まいに耳鳴り
実篤に倣いて　幕切れ間近七十余歳達磨は九年我は終身
藻風・史邦に倣いて　天路歴程大団円おもひ切たる死にぐるひ見よ
孟浩然に倣いて　永眠暁を覚えず処々に聞く火の鳥の啼くを

### 〈法螺を福沢、虚を諭吉〉

「法螺（ほら）を福沢、虚（うそ）を諭吉（ゆうきち）」と揶揄されたこともある福翁には到底及びもつきませんが、大真面目のホラ話をさせていただきます。

まず読書について。学生時代・若い時代に、いかなる読書をすれば、よいか。答えは簡単です。近頃巷に氾濫している、その圧倒的多数は共著の教科書や参考書、浅薄なノウハウ本やマニュアル本、などを読む暇があれば、生涯の座右の書となりうる古典と向き合うべきである。これにつきます。むろん、年輪を重ねてから、古典と向き合ってもけっして遅くはありません。年齢とともに深い読み方や多様な解釈ができるのが、古典の古典たるゆえんです。それに比べると、短期間のうちに内容の多くが陳腐化していく可能性が高い、そうした水準の教科書や参考書の類の大方は、せいぜい一夜漬けの試験勉強用といったところです。

歴史の評価に堪えうる優れた教科書や参考書もありますが、出会うことは稀です。ノウハウ本やマニュアル本の多くは、一年もたたないうちどころか、極端な場合は一晩寝ている間に消えてしまいます。たとえば、初学者である学生諸君を相手に、社会保障や保険の歴史を正確にわかりやすく語ることは至難の業であり、私が知るかぎりにおいて、それができる学者・研究者はほとんどいない、といってもけっして過言ではありません。むろん、私にもその自信はありません。なぜならば、歴史を一般化して語るには、広範多岐にわたる膨大な歴史的知識の蓄積と、それを抽象化して表現できるだけの学識と文章力が不可欠だからです。ゆえに概説（書）の執筆は、その分野における「賢人」にのみなしうる作業といわれてきました。浅薄な知識と独断に基づく概説（書）の執筆は、その対極にあります。大学教授＝賢人ではありません。クール・ヘッドで自分の周囲を見回してみてください。今は思い当たらなくても、そのうち気付くはずです。年配の方たちは自らの学生時代を思い出してください。何人の先生の名前と担当科目を覚えていますか。

では、どのような古典を読むべきか。冷めた頭脳を鍛え、温かい心を養うための必読の書を、私の偏った読書歴の中から選ぶとすれば、とりあえず以下の著者による作品です。

イソップ、アリストテレス、プルターク、モンテーニュ、セルバンテス、シェイクスピア、モンテスキュー、ゲーテ、アダム・スミス、スタンダール、ディケンズ、ブロンテ姉妹、カール・マルクス、トルストイ、アルフレッド・マーシャル、コナン・ドイル、ケインズに、漱石、鷗外、一葉、などの著作を繙いてみてはどうでしょう。

『折りたく柴の記（新井白石）』『自叙伝（河上肇）』『平塚らいてう評論集』『福翁自伝』『フランクリン自伝』『ミル自伝』（以上、岩波文庫）、『死線を越えて（賀川豊彦）』（現代教養文庫）、『強制と説得（ウイリアム・ベバリジ）』（至誠堂）、『奇跡の人 ヘレン・ケラー自伝』（新潮文庫）、『わが半生（ウインストン・チャーチル）』（中公クラシックス）、などに挑戦するのもよいでしょう。いずれも、冷めた頭脳を鍛え、温かい心を養うのに役立つはずです。

一念発起し、本格的な読書に楽しみながら挑戦しようというのであれば、拙著『学び心 遊び心―古典／名著／傑作／快作と人生／教育／社会／経済―』（慶應義塾大学出版会）が参考になるかもしれません。

映画や（時間的・空間的な制約があるうえ、入場料が高いのが難点だが）演劇の鑑賞だって捨てたものではありません。少なくとも人間としての幅が広がることだけは保証します。ただ「幅が広がって、どうなんだ」といわれると、「あれこれいう前に、やってごらんなさい」と答えるしかありません。

『聖書』「ヨハネによる福音書」には、「言（ことば）の内に命があった」（共同訳聖書実行委員会『聖書

新共同訳　旧約聖書続編つき』日本聖書協会）とあります。『万葉集』では、柿本人麻呂が「しき島の日本(やまと)の國は言靈(ことだま)のさきはふ國ぞまさきくありこそ」（佐々木信綱編『新訂　新訓　万葉集　下巻』岩波文庫）と詠っています。『聖書』や『万葉集』の世界の対極にある、花札賭博では役立たずの八・九・三の札の組み合わせに由来する、ともいわれるヤクザ（博奕打ち・博徒・渡世人）の世界では、言葉（遣い）一つで、指ならまだしもいいほうで、命を失うことさえあった／ある、という。いつの時代においても、どのような世界で生きるにせよ、言葉は大切にしなくてはなりません。それにしても、近年の我が母国・日本の首相をみていると、日本国の首相になる必須の条件は、貧弱な日本語の素養と論理的な思考力の貧困と気品の欠落、この三つに尽きるのではないか、と思われますが、それをよしとする人たちが多く、お粗末な首相が続いている。「悪貨は良貨を駆逐する」とはいえ、何とも情けない。

大著『博物史』で、また平行線が引かれた平面に、針を無作為に落としたときに、針が平行線と交わる確率を求める「ビュフォンの針」でも知られるジョルジュ＝ルイ・ルクレール・コント・ド・ビュフォンは、「文体は人物そのものである（文は人なり）」といっています。絶対的な読書量が少ない人間に、まともな文章は書けません。文章家は間違いなく読書家であり、自然科学系も含むが、主として人文社会科学系の偉大な学者・研究者の土台は読書の質と量によって築かれている、といって過言ではありません。

ところが悲しいかな、現実には、お粗末な学者・研究者もどきが分野を問わず跋扈(ばっこ)しています。

しかも、これらの「もどき」諸氏、なかんずく「似非」大学教員の多くは、真の向上心と知的批判精神に欠けているため、「過てる相互扶助の精神」すなわち「過てる温かき心情」を発揮し合って、徹底した学問論争を忌避することに汲々としており、大学によっては手の施しようがない、というに近い惨状を呈しています。被害者は、これらの「似非」を見分ける能力と経験が乏しい初学者である学生諸君です。こうした状況が続くと、学問も教育も疲弊し、したがって大学が知的に荒廃し、学界が馴れ合いと虚名の社会へと堕落していきます。産業革命期の保険事業への論及を含むアダム・スミスの『国富論』（大河内一男監訳、中央公論社）（Adam Smith, *An Inquiry into the Nature and Causes of the Wealth of Nations*）では、体験に基づく痛烈なオックスフォード大学教授批判が展開されており、愉快痛快です。拙著『不思議の国イギリスの福祉と教育—自由と規律の融合—』（芦書房）を併せてお読みいただければ、幸いです。

　学生時代に教わったグレシャムの法則「悪貨は良貨を駆逐する」を裏付ける歴史的事実を挙げることはさほど困難ではありませんが、幸いにして純正な学問・研究の世界においては、「謬(びゅう)論(ろん)＝悪書が正論＝良書を駆逐する」などということは通常ありえませんし、あってはならないことです。しかるがゆえに、マックス・ウェーバーいうところの『職業としての学問』（尾高邦雄訳・岩波文庫）に従事する大学教員・学者・研究者は自らが執筆した原稿・論文に、大げさにいえば、命がけで責任を持たなくてはなりません。ウェーバーは、前掲書で、大学で教鞭を執る者に求めうることは「たゞ知的廉直(れんちょく)」のみと述べています。人間だれしも過ちを犯すことはあります。その場合は、率直に非を認め改めれば、よいのではありませんか。『論語』には「過てば則ち改むるに憚ること勿かれ」（吉川幸次郎『中国古典選　3　論語　上』朝日新聞社）とあります。私のおよそ四〇年間の経験からすると、大学教員の世界ほど甘い世界はないかもしれません。何しろ私でさえ生き残ることができたのですから。

〈学び心のホラ話〉

大略以上を、私は慶應義塾保険学会ホームページ（二〇一五年五月一日）の「保険人萬來」に「With Cool Heads but Warm Hearts II 法螺を福沢、虚を諭吉」として寄稿しました。その草稿段階では、「保険論、金融論、社会保障論」がご専門で、日本保険学会ならびに慶應義塾保険学会の重鎮をもって自任されているようにもお見受けする現役の大学教授が、私に先立って「保険人萬來」に発表されていた玉稿に対する直截的な批判を展開していました。これに対し、旧知の学会ホームページ担当役員から批判部分を削除してほしい、との依頼がありました。そうしたことから、上記小論の最終稿では、涙をのんで批判部分を大方削除し、大幅に加筆修正しました。私は、元来、自他ともに認める、資性穏健な平和主義者なのです。

その私が、「保険人萬來」では、なぜ大先生に対する厳しい批判を試みようとしたのか。理由は簡単です。「保険人萬來」が「学会」ホームページ上のコラムであり、現役を退いていたとはいえ、私に研究者・教育者としての気概が少しは残っていたからです。私の研究者・教育者としての良心がうずき、良識が誤りを看過することを許さなかったからです。でも、後輩でもある学会役員の顔を立て、妥協してしまい、深く悔いることになりました。

件の大教授の論稿中で私が批判の対象にした部分を採点すると、それが学部学生の答案やレポートであったにしても〇点で「KO（Knockout）」、学問的な良心などおかまいなしの何でも「OK」らしい大教授に敬意を表し、以下ではProfessor KO–OK【プロフ・クック】とお呼びすることにしましょう。若い学生ならば、零点からの一大成長発展もありえますが、まともな著書も学位もないままに、学会運営などの研究者・教育者の本筋からはずれた世事にかまけていらっしゃるうちに、おそらくはとっくに還暦を過ぎ、古稀が近いかもしれない教授には、もはや学問研究で多くを望むことはむつかしいだろう。でもプロフ・クックとは若い時分に若干の研究交流があっただけに、無駄を承知で問題提起を再度試みます。そして念のためお断りしておきます。インターネット上の論稿や記事は削除できるが、本小著は、国立国会図書館に永久保存されます。

プロフ・クックは、玉稿の冒頭で（慶應義塾保険学会？・日本保険学会？・日本保険業界？・の）「経験豊かな現役・OBにはまさに釈迦に説法」と謙遜なさっていらっしゃいます。でも、この文言には見逃すことができない大きな問題が含まれています。プロフ・クックのジェンダー感覚の貧困です。二〇世紀後半における日本の生命保険業界の発展を最底辺・最前線で支えたのは、多くの女性営業職員であったことを、そして、おそらく今も支え続けているのは、女性職員であることを、よもやご存じないわけではないでしょう。今の時代、女子高や女子大の同窓会などを除くと、慶應義塾保険学会はいうまでもなく、各種の団体・組織から官界・政界にいたるまで大方の「社会」に、ＯＢもいれば、ＯＧもいるでしょう。数え切れないほど多数の「経験豊かな現役」女性が、さまざまな分野で活躍しています。上記の文言だけで、私にはプロフ・クックの大学教授としての感性の鈍さと研究者としての底の浅さが透けて見えます。

ここから少し専門的な話になります。プロフ・クックによると、「前近代的保険」は「保険協同組合や友愛組合を経て前近代生命保険・前近代火災保険に発展」したとのこと。プロフ・クック！　協同組合や友愛組合の歴史をご存じないのではありませんか。そもそも「?—前近代的保険—前近代保険—?」という流れからすると、その延長線上で想定される「—近代保険—前現代的保険—前現代保険—現代保険—?」は、それぞれ、何が、どのように違うのですか。近代や現代を振りかざせば、それで歴史を語ったことになるわけではありません。「コラム」といえども、まず保険発達史における、これらの時代区分の根拠・論拠や指標・特徴を明示すべきではありませんか。またプロフ・クックによると、「世界中」に「前近代的保険があった」そうです—原文では「世界中にあった前近代的保険」。そもそも「前近代的保険」とは、どのようなものなのですか。何を根拠に「前近代的保険」が「世界中にあった」と断言されるのですか。いつのことかよくわからない「前近代的」時代に、サハラ砂漠周辺やアマゾン川流域に、またアラスカやシベリアに、どのような内容かよくわからない「前近代的保険」があったのですか。

高度に専門的な論文や学術研究書ならば、読者が限られ、それなりの評価が専門的な視点からなされるため、駄文駄作でも、間違った、あるいはためにする引用や援用がなされないかぎり、問題ありません。広く「害」が及ぶことは、まずないはずだからです。でも、誰でも簡単に目を通すことができるインターネット上の「コラム」では、そうはいきません。はっきり申し上げます。プロフ・クック！貴兄には「社会保険」について概説するために最低限必要な学問的な蓄積と素養が絶対的に不足しています。次にそれを明示例証します。

プロフ・クックによると、ビスマルクが労働運動を「鎮圧＝ムチ」するために「社会保険制度＝アメ」を導入したとのこと。これは歴史的事実の解釈として間違っています。ビスマルクが鞭として用いたのは社会主義者鎮圧法です。日本語としてもおかしい。「鎮圧」の意味さえ理解できていません。このような場合に使われる「鎮圧」には、通常、軍隊・警察の武力・暴力を伴います。どうしても「鎮」の文字を使いたいのであれば、せいぜい労働運動の「鎮静化」でしょうし、「懐柔」という表現あたりまででしょう。これらは、校正での瑕疵やPCでの漢字変換の単純な誤りなどとは全く異なる、「社会保障論」を自らの専門分野として掲げる大学教員・研究者として、致命的な論述です。

ちなみに、ドイツでも日本でも、社会保険制度の導入が決まったとき、当時の労働者階級は、社会保険反対のストライキを行っています。なぜか。強制加入の社会保険制度の実施は、何よりも先に社会保険料負担を労働者に強いることになるからです。当時の労働者階級は、社会保

〈ドイツ・ミュンヘンで見かけたビスマルク像：右手に大剣を持っていることは確認できるが、左手で持っているものが何かわからない。書類か冊子のようにも見える。疾病保険の法案あるいは社会保険法令集ならば、面白い。いずれにしろ、プロフ・クックにあきれ返っていることだろう。〉

険の意義を必ずしも十分に理解できていませんでした。社会保険制度の実施は、政府の意図に反し、労資対立の緩和、産業平和の維持どころか、当初は労働運動の激化を招くことにさえなったのです。第一次世界大戦後、日本に社会保険・健康保険が導入される際にも、労働者は同じ反応を示しています。自由放任を国是としていた、といってもよいイギリスでは、当初、海の向こうのドイツにおける強制加入の社会保険の実施を、後進的・封建的・非民主的な国なるがゆえと、冷ややかにみていましたが、二〇世紀に入ると、社会保険を実施することになります。

プロフ・クックの玉稿は、「初学者

の学生さんをイメージ」し、「かなりデフォルメ」して執筆されたとのこと。歴史をわかりやすく、一般論的に語る、という意味で「デフォルメ」というカタカナ外来語を使われているとすれば、フランス語 déformer の原義は「ゆがめる／歪曲する」で、ここでの「デフォルメ」という言葉の使い方は不適切だが、歴史的事実やその広く認められている解釈をとんでもない方向にゆがめている、という点では、確かにあきれるほどに「デフォルメ」されている。

念のため、石井晴一ほか編『ジュネス仏和辞典』（大修館書店）を引くと、déformer の項には次の解説がある。「（物を）ゆがめる／（真実・他人の思想などを）ゆがめる／（人の）性格をゆがめる」とあり、私の理解は間違っていないようです。もう一冊あたっておきましょう。三宅徳嘉・六鹿豊監修『白水社　ラルース仏和辞典』（白水社）の déformer の項には、やはり「変形させる／歪曲する」とあります。念押しでもう一冊、学生時代に使った鈴木信太郎ほか著『スタンダード佛和辭典』（大修館書店）をみても、déformer の意味は、「変形させる／（真実を）ゆがめる／（趣味を）下品なものにする」などとある。

でも、きっとプロフ・クックは、こうした私の受けとめ方とはまったく異なる意味で「デフォルメ」されたのでしょう。プロフ・クックは、所属する大学のホームページ上で変節漢との評価もある徳富蘇峰を気取り、「行蔵は我に存す、毀誉は他人の主張、我与らず」と嘯（うそぶ）いていらっしゃいますが、無知？無恥？に勝る傲慢はない。この文言を使うのであれば、好き嫌いは別にして、蘇峰よりも勝安房（海舟）でしょう。彼も蘇峰同様ある種の変節漢でした。その変節ぶりを、福沢諭吉は、一八九一年一一月二七日に書き終え、一九〇一年一月一日の『時事新報』に掲載された「瘠我慢の説」（『福沢諭吉選集』第一二巻、岩波書店）で痛烈に批判し、公表前に勝安房と榎本武揚に「手簡」を付けて送付した。これに対する「答書」で、勝は「行蔵は我に存す……」と答えている。慶應義塾の大学院でまで学ばれたクック教授が、この程度のことを知っていないとすれば、いささかさびしい。

インターネット上に掲載された、誤った記事や情報が修正されたり、削除されたりするのは常識であり、それなりに良識ある対応です。ましてや大学教授の肩書付きの論稿です。学会ホームページには誰でも簡単にアクセスできます。それだけに、学会ホームページは、おそらく限られた人たちしか目を通さないであろう紙媒体の出版物よりも、はるかに「危険」です。だからこそ、間違った記事や論稿には、はっきり間違っている、と誰かが指摘し、適切に対応していくことが必要です。それこそが、「学会」としての学問的良心であり、社会的責任です。これは、一部の慶應義塾保険学会役員の方々が気になさっていらっしゃるらしい、俗世間的な「学者生命」「公開処刑」「断罪」などとは、まったく異次元の純粋に学問上の問題です。研究者の言葉は、それだけ重いはずです。研究者は自らの論稿に責任を持たなくてはなりません。企業が欠陥商品を市場に出したことに気付いた場合、あるいは商品の欠陥を第三者から指摘された場合、どのような対応をしますか。かりにも学会でしょう。馴れ合ってはいけません。見て見ぬふりも、知っていて知らぬふりも、ともに不可です。産学共同も結構ですが、歴史的な市場経済体制下の「産」の目的と、歴史性を有するとはいえ、基本的に普遍的な（はずの）「真理」の探求を目指す「学」の使命とは、その根本において明らかに異なる。

学会ホームページ管理者を通じて、こうした趣旨ではあったが、はるかに穏やかな論調の私の意見は、二〇一五年春の段階で、プロフ・クックに間接的に伝えられているはずだが、二〇二〇年九月末日時点で、件の論稿は削除も修正もされないまま、学会ホームページに掲載され続けていた。私の意見がプロフ・クックに伝わっていないにしても、プロフ・クックが拙稿「With Cool Heads but Warm Hearts II 法螺を福沢、虚を諭吉」に目を通していれば、自分の論稿が研究上の批判の対象になっていることに気付くはずです。気付けば、反論を含め、何らかの対応がなされてしかるべきです。それがどうでしょう。ホームページ管理者もだらしないが、プロフ・クックの怠慢も度が過ぎるというものです。名前だけながら、私も慶應義塾保険学会常務理事の末席を長年汚してきたことから、こうしたお粗末な論稿が看過され、ホームページに長期間掲載され続けている異常な事態について、責任を痛感せざるをえません。

異常が常態化すると、異常が異常でなくなり、異常であることが通常普通常態になります。知らなければ、ないも同然であった件の論稿の存在を、「保険人萬來」への穴埋め・つなぎの寄稿を私がたまたま引き受けたことから、知ることになりました。私も相当ふできな学生のなれの果てのふできな大学教員でしたが、専門的職業人としての仕事において、プロフ・クックほど破廉恥にはなれませんでした。なにも知らず、安くもない授業料を払い（保護者に払ってもらい)、プロフ・クックの講義を聴き、ゼミナールで指導を受けた/受けている学生諸君は、本当にかわいそうです。でも、この程度で通用するのが昨今の大学であり、日本保険(業)学界であればこそ、私も保険学者もどきとして生きてこられました。プロフ・クックはじめ多くの同業諸氏に感謝しなければなりません。私は、とっくの昔に保険(業)学界からは足を洗ったつもりですが、二〇一五年一〇月二四日に母校で開催された日本保険学会七五周年記念大会で、名誉会員に推薦されました。この日はもちろん、何年も学会に顔を出しておらず、辞退すべきだったかもしれません。

こうした「慷慨」は時代遅れの年寄りの僻事(ひがごと)にすぎないかもしれず、蝸牛角上の争いの類かもしれません。『荘子』「則陽篇」(金谷治訳注『荘子 第三冊(外篇・雑篇)』岩波文庫)が出典とされる『白氏文集』「酒に対す」五首の二の起承二句が、『和漢朗詠集』(川口久雄全訳注、講談社学術文庫)に載っています。

蝸牛(くわぎう)の角(つの)の上(うへ)に何事(なにごと)をか争(あらそ)ふ
石火(せっか)の光(ひかり)の中(うち)に此(こ)の身(み)を寄(よ)せたり

(注)「歴史の一般化」については、四〇年来の友人・竹内幸雄博士との対話から有益な示唆を得ました。彼は、経済史家にして、イギリス経済史研究を大転換させたジェントルマン資本

主義研究の日本における第一人者で、『保険の本質』（白桃書房）で保険学界に巨石を投じられた明治大学の（故）印南博吉先生のゼミナール出身です。印南先生は学界における数少ない私の理解者でもありました。

（追記）本書の原稿入稿後の二〇二一年四月一六日早朝、プロフ・クックが、四月一五日に逝去されたとの電子メイルが慶應義塾保険学会理事長から届きました。筆者からの問題提起に対する「反論」は永遠に得られないことになり、非常に残念です。謹んで冥福を祈ります。

オルダス・ハクスリーは、『すばらしい新世界』（黒原敏行訳、光文社古典新訳文庫）で、醜怪な現実に対する以下のきわめて前向きな考え方を示しています。「確かに現在は厭わしく、現実はおぞましい――けれども、嫌悪を催すほど切実なものであるからこそ、この現在の現実はすばらしく、意義深く、このうえなく大切なのだ。」

なるほど、それならば、生ある限り先に紹介した五十嵐眞博士の言に従い、人類の宝である向上心を持って、地球社会に地球市民として目を向け続けなくてはならないだろう。前世紀末ごろから地球規模で勢いを増してきた自助努力の社会的・政策的な強調強要、直近ではコロナウイルス騒動下での「外出自粛要請」などは願い下げだが、個人的な自助努力は誰もがしているはずです。問題は、その目指すところ＝目的と、やり方＝方法です。

イギリスでは、サミュエル・スマイルズが、その著『自助論』の第一編冒頭で、「みずから助くるの精神は、およそ人たるものの才智の由りて生ずるところの根元なり」と述べる一方で、第一二編で、「人は宇宙の間にありて、独り立つものにあらず、互いに相依頼し関係するものの一分なり」と明言しています（中村正直訳『西国立志編』講談社学術文庫）。

ところが、フランスでは、ポール・ヴァレリーが次のように述べています。「精神は群れ集うことを嫌悪し、党派を好まない。精神は和合すると弱体化すると感じる。精神は他の精神と衝突することによって何かを得るように思う。他人と同じように考えずにいられない人間は、恐らく、そうした合意を嫌う人間に比べて、精神度が低い。……（中略）……精神は本質的に反逆者であり、秩序をもたらすときも例外ではない。……（中略）……精神は何よりも現状を克服すべき無秩序と考えるのだ。……（中略）……知識は、知識を拡大し、変化させ—時には批判し、最も堅固に見える部分も、筋を通して、壊すことができる人たちがいないと衰退する。知識は増大するか衰退するかのいずれかである。知識は自由な精神においてしか増大し得ない。自由な精神とは初めから自分に厳しい制約を課すことができる強さを持った人のことである。」（恒川邦夫訳『精神の危機　他十五篇』岩波文庫）。

「慷慨志は猶お存せり」と柄にもなく力んでみても、年金が命の綱の後期高齢者の私には何ができるわけでもなく、スマイルズとヴァレリーによって知的股裂き状態にされている。反省と自戒の意味を込め、すでに何度か紹介した、私の四〇年来の友人である、イギリスにおける科学的根拠に基づく医療（ＥＢＭ）の第一人者ミュア・グレイの『根拠に基づく健康管理』（Muir Gray, *Evidence-Based Healthcare*）からの次の言葉を最後に掲げます。

二一世紀の接近法として問いかけるべきは、「ものごとを正しく行っているか？」あるいは「正しいことを行っているか？」ではなく、次のようなものである。

**われわれは正しいことを正しく行っているか？**

本書の出版に至るまでに多くの人びと、とりわけ次の方がたとの交流を通じて、柔軟でしなやかな感性の大切さと身近にも未知の世界が驚くほど多いことを学ばせていただきました。記して感謝します。

今は亡き四人の先人―大学の先輩にして恩師の庭田範秋博士と五十嵐眞博士、オックスフォード大学での頼りになる研究協力者だったドクター・アレックス・ギャザラーと（元）グリーン・カレッジ学寮長サー・ジョン・ハンスン。

四〇年余り勤務した職場でもさまざまな交流がありました。最初に声をかけていただいた根立昭治教授（漁船保険論）はじめ、顔を合わせるたびに刺激的・異文化交流的な議論を楽しませてもらった（元）同僚で、尊敬すべき研究者だった茂呂周さん（口腔病理学）、（故）中嶋睦安さん（分子微生物学）、石川紘一さん（薬理学）、手塚雅勝さん（衛生薬学）、森山茂さん（記号論）、（故）長谷政弘さん（マーケティング論）、永山利和さん（中小企業論）、中山直次さん（スペイン言語文化論）、横山則孝さん（日本史）、竹内幸雄さん（イギリス経済史）、（故）吉田達雄さん（財政学）、小阪隆秀さん（経営組織論）、今も現役の塚田典子さん（社会福祉学）、小島智恵子さん（科学技術史）、吉原令子さん（フェミニズム教育学）、鈴木由紀子さん（企業倫理）、竹内真人さん（イギリス経済史）。硬軟自在の抜群の事務処理能力に驚嘆を禁じえなかった荒井俊貴さん、（故）秋山正さん、佐藤正弘さん、宇田川浩二さん、浅野祥司さん、藤井靖博さん、八町斉さん、内田真弓さん、石川和男さん、そして若くして職場を去った吉水堅治さん—とりわけ宇田川さんとは、ときに文珠の知恵から猿知恵まで、さらには浅知恵・後知恵まで出し合って、教育の根幹に関わる難局を何度も切り抜けた。書籍の購入でお世話になった森孝之さんほか桜門書房の皆さん。

健康管理面でも職場を通じてのつながりで支えていただき、今もお世話になっている、澤田滋正教授、長尾建教授、平山晃康教授、松本直也教授、栈淑行准教授、吉沼直人准教授、清水康平准教授、看護師の清水道子さん、中山通幸さん。

三田の龍原寺での学生時代四年間の寮生活で大きな影響を受けた当時大学院生だった三人の先輩、前田孝雄さん（その後、龍原寺住職）、葛西栄二さん（同、弁護士）、岩沙弘道さん（同、三井不動産株式会社社会長）。時は流れ、二〇二二年七月五日から寮の取り壊し工事が始まった。

新型コロナ感染症騒ぎで二回の中断があったものの、十数年にわたり神田ガード下で安酒を飲みながら語り合う「商Pクラスの夕べ（仮）」を毎月開催し、東伊豆の片瀬白田と京都の祇園で合宿までした、半世紀を超える付き合いの、学生時代のクラスの仲間―岩崎康一、小笠原誠、金子幹博、神谷茂樹、栗岡威、栗林俊郎、小正修一、高尾正晴、田澤榮一、種村治夫、樽井保夫、東海信興、永瀬晴男（昌子夫人）、西田久、原邦明、福原豊高、福本直征、堀江耕一、松岡洋太郎、宮腰正英、八木明夫、そして、生き急ぎ燃え尽きた忘れ難い友―池野秀雄、岩田芳尚、門倉洋、黒川勇三、佐藤吉昭、ほかの諸君。

折に触れ、日本語のしなやかさ・ゆかしさを考えるきっかけを与えてくれる大学同窓で上州在住の松村哲夫君、土に親しむ暮らしの素晴らしさを伝えてくれる都の西北出身で韓国通・濃州在住の佐々木憲文さん。

ここ一〇年あまり私が関わっている公益財団法人年金融資福祉サービス協会・一般社団法人全国年金受給者団体連合会・東京都年金受給者協会の役職員の皆さん―とりわけ（故）吉岡大忠さん、柳樂剛さん、片平義信さん、佐藤茂さん、阿部正大さん。

一九八三年から二年弱のオックスフォード大学遊学以来交流を続けているジョージ・アンド・テレサ・スミス夫妻とミュア・アンド・ジャッキー・グレイ夫妻。二〇〇二年にスペインで開催された高齢化に関する国際会議「バレンシア・フォーラム」以来交流が続くインドのボランタリイ活動家アアバ・チャウダリ博士。

学生時代から米寿を迎えられた今も暖かく見守ってくださっている庭田芳子様、私の生家を一人で気丈に守ってくれている卒寿間近の義姉・真屋康野、そして私とは対照的な感性で日常生活を切り盛りしてくれている妻・恵子。

出版事情がきわめて困難な中で、筆者の前著『不思議の国イギリスの福祉と教育―自由と規律の融合―』に続き、芦書房に本書の出版を引き受けてもらいました。とりわけ佐藤隆光さんには、今回も企画の段階から編集出版に至るまでの作業すべてを遺漏なく処理していただきました。心から感謝します。まったくの偶然ながら、本書本編冒頭の小論「軽老」で真っ先に引用したのは「考える葦」で知られるパスカルの『パンセ』でした。

この一〇年余りの間に旅立った六人の友に本書を捧げます。

誕生日から小中学校・高校まで同じ、根性と気配りの友　小林茂吉
幼稚園から小中学校・高校まで同じで、鎧(よろい)を纏(まと)って泳いだ　神伝流達人の友　井上善博
小中学校・高校が同じで、病床五〇年、泣き言一ついわず耐え抜いた友　黒山宏志
中学校と高校が同じで、信念の外科医として地域医療に半生を捧げた友　松田　賢
高校同期で、香港在住八年、渓流釣りの名人だった友　地木誠太郎
大学同期の中で最年少、「秀雄は、秀才の秀、英雄の雄」が口癖だった友　池野秀雄

長引くコロナ禍に加え、狂気の沙汰としかいいようがない五輪が強行されるご時世のもとで、何を楽しむべきか。金もなければ、体力も衰える一方で、認知症も深く静かに進行中。ならば、田中正造翁にならい、「辛酸入佳境（しんさんかきょうにいる）　楽亦在其中（たのしみまたそのなかにあり）」と洒落のめし、達観したふりをして、心静かに杯を傾けるほかないか。仙厓さんなら「五輪がらみのコロナなんかで死にとうない！」と大喝一声。

「恥もかき 悔いも残れど ひたむきな 我が人生を いかに讃えん」「眠るまま 逝ける人あり 我もまた 信夫の里の 花を夢見て」と詠って、先年旅立った（元）同僚の吉田達雄さんの心境には終生到達できそうもないので、気に染まぬ世の中ではあるが、「瘠我慢」と「抵抗・批判の精神」で濁世（じょくせ）を楽しみながら、その日が来るまで突っ張りぬくしかないか。

二〇二一年　小暑末候　鷹が技を習うころ

真屋尚生

# 積読（つんどく）拾い読み／論及引用した本と資料

アーネスト・ヘミングウェイ（大橋健三郎訳）『武器よ さらば』『世界の文学44 ヘミングウェイ』中央公論社、一九六四年
アガサ・クリスティ（鳴海四郎訳）『ねずみとり』早川書房クリスティ文庫、二〇〇四年
『朝日新聞（夕刊）』二〇一一年八月二〇日
アダム・スミス（大河内一男監訳）『国富論 Ⅰ・Ⅱ・Ⅲ』中央公論社、一九七六年
――（水田洋訳）『道徳感情論』筑摩書房、一九八一年
安部譲二『塀の中の懲りない面々』文春文庫、一九八九年
安倍晋三「国民代表の辞」二〇一九年四月三〇日
アマルティア・セン（東郷えりか訳）『人間の安全保障』集英社文庫、二〇〇六年
新井白石（羽仁五郎校訂）『折りたく柴の記』岩波文庫、一九七八年
アリストテレス（島崎三郎訳）『動物誌 上・下』岩波文庫、一九九八・一九九九年
アルフレッド・マーシャル（馬場啓之助訳）『経済学原理』（全四分冊）東洋経済新報社、一九六六―一九六八年
――（永沢越郎訳）「経済学の現状」『アルフレッド・マーシャル 経済論文集』岩波ブックサービスセン

ター、一九九一年
――（永沢越郎訳）「経済騎士道の社会的可能性」前掲『アルフレッド・マーシャル　経済論文集』
アレクサンドル・デュマ・ペール（鈴木力衛訳）『ダルタニャン物語』（全一一巻）講談社文庫、一九七五年
アンジェラ・デイヴィス（上杉忍訳）『監獄ビジネス―グローバリズムと産獄複合体』岩波書店、二〇〇八年
家永三郎『戦争責任』岩波書店、一九八五年
五十嵐眞ほか「健康福祉社会と死生学―終末期医療と死の質」真屋尚生編『社会保護政策論―グローバル健康福祉社会への政策提言』慶應義塾大学出版局、二〇一四年
石井晴一ほか編『ジュネス仏和辞典』大修館書店、一九九三年
石原慎太郎『青年の樹　石原慎太郎文庫　第四巻』河出書房新社、一九六五年
イソップ（中務哲郎訳）『イソップ寓話集』岩波文庫、一九九九年
井筒俊彦訳『コーラン　上・中・下』岩波文庫、二〇〇一・二〇〇二年
出隆「水泳漫談」『出隆著作集　3　エッセー』勁草書房、一九七四年
伊藤正徳『連合艦隊の最後　太平洋海戦史』光人社NF文庫、二〇〇四年
井上円了（平野威馬雄編著）『妖怪学講義』リブロポート、一九八三年
井上ひさし『モッキンポット師の後始末』講談社文庫、一九七四年
――『野球盲導犬ちびの告白』文春文庫、一九八九年
「いろはかるた」
巌谷小波『こがね丸』（上田信道校訂『日本昔噺』東洋文庫、二〇〇一年）

印南博吉『保険の本質』白桃書房、一九五六年
——「保険総論」日本経済学会連合編『経済学の動向　下巻』東洋経済新報社、一九七四年
ウィーダ（村岡花子訳）『フランダースの犬』新潮文庫、一九五四年
ウイリアム・シェイクスピア（本多顕彰訳）『アントニーとクレオパトラ』岩波文庫、一九五八年
——（小田島雄志訳）『シェイクスピア全集　夏の夜の夢』白水Uブックス、一九八三年
——（小田島雄志訳）『シェイクスピア全集　ハムレット』白水Uブックス、一九八三年
ウイリアム・H・ベヴァリジ（伊部英男訳）『ベヴァリジ回顧録　強制と説得』至誠堂、一九七五年
——（山田雄三監訳）『ベヴァリジ報告　社会保険および関連サービス』至誠堂、一九六九年
W・チャーチル（中村祐吉訳）『わが半生』中公クラシックス、二〇一四年
卜部兼好（西尾実・安良岡康作校注）『新訂　徒然草』岩波文庫、一九九〇年
AA, *The Pub Guide 2004*, The Automobile Association, 2004（英国自動車協会『パブ案内　二〇〇四』）
——*Members' Hand Book 1984/85*, The Automobile Association, 1984（英国自動車協会『会員用ハンドブック　一九八四／八五』）
A・C・ピグー（気賀健三ほか訳）『厚生経済学』（全四分冊）東洋経済新報社、一九七一・一九七五・一九七七年
エドワード・ギボン（中野好夫ほか訳）『ローマ帝国衰亡史』（全一一巻）筑摩書房、一九九〇－一九九三年
王符（帆足図南次）『潜夫論』（早稲田大学図書館）一九四〇年
大岡昇平『野火』新潮文庫、一九六六年
大佛次郎『赤穂浪士　上巻・下巻』富士見書房時代小説文庫、一九八一年

オノレ・ド・バルザック『人間喜劇』（水野亮訳『知られざる傑作　他五篇』岩波文庫、一九六五年／水野亮訳『「絶対」の探求』岩波文庫、一九七八年）

オルダス・ハクスリー（黒原敏行訳）『すばらしい新世界』光文社古典新訳文庫、二〇一五年

カール・マルクス＝フリードリヒ・エンゲルス（大内兵衛・向坂逸郎訳）『共産党宣言』岩波文庫、一九七一年

賀川豊彦『死線を越えて』社会思想社現代教養文庫、一九八三年

笠松紫波『一寸法師』新・講談社の絵本、二〇〇一年

Gaston Mauger, *Cours de Langue et de Civilisation Françaises*, Hachette, n.d.（ガストン・モージェ『フランスの言語と文明に関する講義』）

片山一良訳『パーリ仏典〈第一期〉六　中部（マッジマ・ニカーヤ）後分五十経篇Ⅱ』大蔵出版、二〇〇二年

角川書店編『合本 俳句歳時記 新版』角川書店、一九七八年

鎌田正・米山寅太郎『大漢語林』大修館書店、一九九二年

神山圭介『英霊たちの応援歌　最後の早慶戦』文春文庫、二〇〇八年

鴨長明（市古貞次校訂）『新訂　方丈記』岩波文庫、一九八九年

カレル・チャペック（飯島周編訳）『カレル・チャペック旅行記コレクション　イギリスだより』ちくま文庫、二〇〇七年

河合栄次郎『学生に与う』社会思想社現代教養文庫、一九七七年

河上肇（杉原四郎・一海知義編）『自叙伝』（全五巻）岩波文庫、一九七六年
川島暖光「叱られて尚水遊びあきらめず」
河竹黙阿弥『極付幡随長兵衛』一八八一年
桑原武夫『第二芸術論』講談社学術文庫、一九七六年
北杜夫『どくとるマンボウ青春記』中央公論社、一九六八年
魏徴「述懐」（李攀竜『唐詩選』）高木正一『新訂　中国古典選　一四　唐詩選　上』朝日新聞社、一九六八年
共同通信社「全国緊急電話世論調査」二〇一九年四月一日・二日
共同訳聖書実行委員会『聖書　新共同訳　旧約聖書続編つき』日本聖書協会、一九八七年
曲亭馬琴『鎮西八郎為朝外傳　椿説弓張月』（後藤丹治校注『椿説弓張月　上・下』（日本古典文學大系60・61）岩波書店、一九五八年
――（小池藤五郎校訂）『南総里見八犬伝』（全一〇巻）岩波文庫、一九九〇年
栗林俊郎『ゴールドバッハの問題』個人書店、二〇〇七年
慶應義塾ホーム・ページ（https://www.keio.ac.jp/ja/）
警察庁「平成二三年（二〇一一年）東北地方太平洋沖地震の被害状況と警察措置」
小泉信三『共産主義批判の常識』新潮社、一九四九年
――『読書論』岩波新書、一九六六年
小泉八雲（上田和夫訳）『小泉八雲集』新潮文庫、二〇一二年

神坂次郎『天馬空をゆく』新潮文庫、一九九二年
厚生労働省『厚生労働白書　平成二三年版』日経印刷
――「国民年金保険料の納付率について」二〇一四年一二月末
――「被保護者調査」（平成二九年四月分概数／令和二年一〇月分概数）
――「平成二八年簡易生命表」二〇一七年七月二七日
――「報道発表資料　平成二六年簡易生命表の概況」二〇一五年七月三〇日
厚生労働省・文部科学省「大学等卒業予定者の就職内定状況等に関する共同調査」二〇一一年二月一日
河野一郎編訳『イギリス民話集』岩波文庫、一九九一年
国際オリンピック委員会「オリンピック憲章」
呉承恩（伊藤貴麿編訳）『西遊記　上・中・下』岩波少年文庫、二〇〇一年
「国旗及び国歌に関する法律」
コナン・ドイル（延原謙訳）『バスカヴィル家の犬』新潮文庫、一九七五年
小林一三『私の行き方　阪急電鉄、宝塚歌劇を創った男』ＰＨＰ文庫、二〇〇六年
小林節子『女ひとり古希に家を建てる』ことこと舎、二〇一六年
――「みんな元気！」『とうねんパートナー』№.１８６、二〇一四年
小林登美枝ほか編『平塚らいてう評論集』岩波文庫、二〇〇五年
五味康祐「喪神」『秘剣・柳生連也斎』新潮文庫、二〇〇三年
齋藤五百枝『桃太郎』新・講談社の絵本、二〇〇一年

坂口安吾『白痴・二流の人』角川文庫、一九七〇年
坂本竜馬「何をくよくよ川端柳　水の流れをみて暮らす」
相良倫子「生きる」二〇一八年六月二三日
櫻井忠溫「肉彈　旅順實戰記」木村毅編『明治戦争文学集　明治文学全集　九七』筑摩書房、一九七七年
佐々木信綱編『新訂 新訓 万葉集　上巻・下巻』岩波文庫、一九七三年
佐藤卓己『八月十五日の神話』ちくま新書、二〇〇五年
サミュエル・スマイルズ（中村正直訳）『西国立志編』（『自助論』）講談社学術文庫、一九七六年
塩野七生『再び男たちへ　フツウであることに満足できなくなった男のための63章』文春文庫、一九九九年
司馬遷（小竹文夫・小竹武夫訳）『史記　3・4　世家　上・下』ちくま学芸文庫、一九九五年
司馬遼太郎『燃えよ剣　上・下』新潮文庫、一九七二年
――『竜馬がゆく　司馬遼太郎全集　3・4・5』文藝春秋、一九七二年
島谷高水監修『はちどり句会第一句集　はちどり』はちどり句会、二〇一六年
「社会保障と税の一体改革関連法案」
小学館国語辞典編集部『精選版　日本国語大辞典』（全三巻）小学館、二〇〇六年
ジョルジュ＝ルイ・ルクレール・コント・ド・ビュフォン（荒俣宏監修）『全自然図譜と進化論の萌芽　ビュフォンの博物誌』工作舎、一九九一年
ジョン・スチュアート・ミル（朱牟田夏雄訳）『ミル自伝』岩波文庫、一九八五年
城山三郎『一歩の距離　小説予科練』文春文庫、一九七五年

「神伝流津山游泳会指導者の基礎知識」（プリント、発行年不詳）
新村出編『広辞苑　第六版』岩波書店、二〇〇八年
――編『広辞苑　第七版』岩波書店、二〇一八年
鈴木隆『けんかえれじい　1・2』角川文庫、一九八三年
鈴木光司『リング』角川ホラー文庫、一九九三年
鈴木信太郎ほか著『スタンダード佛和辭典』大修館書店、一九六四年
薄田泣菫（谷沢永一・浦西和彦編）『完本　茶話　上・中・下』冨山房百科文庫、一九八五・一九八六年
スタンダール（桑原武夫・生島遼一訳）『赤と黒　上・下』岩波文庫、一九五八年
――（生島遼一訳）『パルムの僧院　上・下』岩波文庫、一九六九・一九七〇年
清少納言（池田亀鑑校訂）『枕草子』岩波文庫、二〇〇七年
――（松尾聰ほか訳・注）『枕草子［能因本］』笠間書院、二〇一二年
関沢真一「柔」
セシル・スコット・フォレスター（高橋泰邦ほか訳）『海の男　ホーンブロワー・シリーズ』（全一〇巻・別巻）ハヤカワ文庫、一九七三―一九七八年
仙厓義梵「古人の哥」出光美術館編集・発行『生誕260年　仙厓―禅とユーモア』二〇一〇年
――「坐禅蛙画賛」出光美術館編集・発行『開館五〇周年記念　大仙厓展―禅の心、ここに集う』二〇一六年
荘子（金谷治訳注）『荘子　第三冊（外篇・雑篇）』岩波文庫、二〇一〇年
総務省消防庁『消防白書　平成二〇年版』ぎょうせい

総務省統計局『世界の統計　二〇二一年版』日本統計協会
孫武?・孫臏?（金谷治訳注）『孫子』岩波文庫、一九七四年
高島俊男『三国志　きらめく群像』ちくま文庫、二〇〇〇九年
田中正造「辛酸入佳境」城山三郎『辛酸　田中正造と足尾鉱毒事件』角川文庫、一九七九年
田上富久「長崎平和宣言」二〇一九年八月九日
武田泰淳『司馬遷―史記の世界―』講談社文庫、一九七五年
太宰治「カチカチ山」『お伽草紙　新釈諸国噺』岩波文庫、二〇〇四年
田辺聖子『田辺聖子の小倉百人一首』角川文庫、一九九一年
ダニエル・デフォー（平井正穂訳）『ロビンソン・クルーソー　上・下』岩波文庫、一九八五年
谷川俊太郎訳（堀内誠一イラスト）『マザー・グースのうた』（全五集）草思社、一九九〇年
ダライ・ラマ一四世テンジン・ギャツォ（塩原通緒訳）『世界平和のために』ハルキ文庫、二〇〇八年
チャールズ・ディケンズ（本多季子訳）『オリバー・ツィスト　上・下』岩波文庫、一九八九年
出久根達郎『犬と歩けば』角川文庫、二〇〇四年
デニス・ガボール（林雄二郎訳）『成熟社会　新しい文明の選択』講談社、一九七三年
「天声人語」『朝日新聞』二〇一一年八月二一日
徳富蘇峰『近世日本国民史』（全一〇〇巻）（（五一巻）講談社学術文庫、一九七九―一九八四・一九九一―
　一九九四・一九九六・二〇〇四年」
時田昌瑞『岩波ことわざ辞典』岩波書店、二〇〇〇年

飛田穂洲『熱球三十年　草創期の日本野球史』中公文庫、二〇〇五年
トマス・カーライル（上田和夫訳）『過去と現在　カーライル選集　Ⅲ』日本教文社、一九六二年
富田常雄『姿三四郎　上・中・下』新潮文庫、一九七三年
永井荷風『ふらんす物語』岩波書店、二〇〇二年
中里介山『大菩薩峠』（全二二巻）筑摩書房、一七七六年
中島敦『中島敦全集』（全三巻）筑摩書房、一九七六年
永山利和ほか編『個人情報丸裸のマイナンバーはいらない』大月書店、二〇一六年
中山直次「元号・西暦対応の歌」（私信）、二〇一九年一月一日
夏井いつき『絶滅危急季語辞典』ちくま文庫、二〇一一年
――『絶滅寸前季語辞典』ちくま文庫、二〇一〇年
夏目漱石『草枕』岩波文庫、一九九〇年
――『坊ちゃん』岩波文庫、一九八九年
「日本国憲法」
日本戦没学生記念会編『新版　きけわだつみのこえ　日本戦没学生の手記』岩波文庫、一九九五年
――編『新版　第二集　きけわだつみのこえ　日本戦没学生の手記』岩波文庫、二〇〇三年
日本放送協会「国内番組基準」
庭田範秋『社会保障と日本の前途』有斐閣、二〇〇五年
――『社会保障の失意と希望』成文堂、二〇〇六年

――『社会保障論』有斐閣、一九七三年
――『損害保険の経済分析』千倉書房、一九七九年
――『直視しよう、この日本！』成文堂、二〇〇八年
――『平成の逆風と新風』成文堂、二〇〇七年
――『保険経済学序説』慶應通信、一九六〇年
――『保険理論の展開』有斐閣、一九六六年
――『わが国近代保険学の発展』慶應通信、一九六二年
庭田範秋先生追悼文集編集委員会『天道天運天命―庭田範秋先生追悼文集』慶應義塾大学出版会、二〇一一年
野間宏『真空地帯　上・下』岩波文庫、一九五六年
白楽天「酒に対す」藤原公任（川口久雄全訳注）『和漢朗詠集』講談社学術文庫、二〇〇九年
林尹夫『わがいのち月明に燃ゆ　一戦没学徒の手記』筑摩書房、一九六七年
林房雄『大東亜戦争肯定論』中公文庫、二〇一四年
原六朗「お祭りマンボ」
半藤一利「明治維新一五〇周年、何がめでたい」『東洋経済オンライン』二〇一八年一月二七日
ビアトリクス・ポター作・絵（石井桃子ほか訳）『ピーターラビットの絵本』（全七集）福音館書店、一九九一年
BBC One, The Andrew Marr Show, 19 April 2020

ピーター・B・メダワー／ジーン・S・メダワー（長野敬ほか訳）『アリストテレスから動物園まで　生物学の哲学辞典』一九九三年
稗田阿礼・太安万侶（倉野憲司校注）『古事記』岩波文庫、二〇〇七年
「被爆七四周年 長崎原爆犠牲者慰霊平和祈念式典」パンフレット、二〇一九年八月九日
ヒポクラテス（小川政恭訳）『古い医術について　他八篇』岩波文庫、一九七一年
平塚宗臣『歌集　八國山』角川書店（角川文化振興財団）、二〇一五年
鰭崎英朋『花咲爺』新・講談社の絵本、二〇〇一年
広川操一『鉢かつぎ姫』新・講談社の絵本、二〇〇二年
*50th Anniversary of the Beveridge Report 1942—1992*, prepared by The Department of Social Security and The Central Office of Information, 1992
伏義？（高田真治・後藤基巳訳）『易経　上・下』岩波文庫、二〇一九年
福沢諭吉『改訂　福翁自伝』岩波文庫、一九六八年
――『学問のすゝめ』富田正文・土橋俊一編『福沢諭吉選集　第三巻』岩波書店、一九八〇年
――『文明論之概略』岩波文庫、一九八二年
――「日本婦人論」富田正文・土橋俊一編『福沢諭吉選集　第九巻』岩波書店、一九八一年
――「明治十年　丁丑公論」富田正文・土橋俊一編『福沢諭吉選集　第一二巻』岩波書店、一九八一年
――「瘠我慢の説」前掲『福沢諭吉選集　第一二巻』
藤原公任（川口久雄全訳注）『和漢朗詠集』講談社学術文庫、二〇〇九年

古山高麗雄『断作戦』文春文庫、二〇〇三年
プルターク（河野与一訳）『プルターク英雄伝』（全一二冊）岩波文庫、一九七二―一九七四年
ブレーズ・パスカル（津田穣訳）『愛の情念　他一篇』角川文庫、一九七一年
――（前田陽一・由木康訳）『パンセ』中公文庫、二〇一八年
『文語訳　旧約聖書　Ⅰ・Ⅱ・Ⅲ』岩波文庫、二〇一五年
『文語訳　新約聖書　詩篇付』岩波文庫、二〇一五年
ヘルマン・ヘッセ（高橋健二訳）『車輪の下』新潮文庫、一九五一年
――（関泰祐訳）『青春彷徨　ペーター・カーメンチント』岩波文庫、二〇〇三年
ヘレン・ケラー（小倉慶郎訳）『奇跡の人　ヘレン・ケラー自伝』新潮文庫、二〇〇四年
ベンジャミン・フランクリン（松本慎一・西川正身訳）『フランクリン自伝』岩波文庫、一九六六年
ポール・ヴァレリー（恒川邦夫訳）『精神の危機　他十五篇』岩波文庫、二〇一六年
法務省法務総合研究所編『犯罪白書　平成二五年版』日経印刷
ホメーロス（高津春繁・呉茂一訳）『オデュッセイア　イーリアス　世界文學大系　1』筑摩書房、一九六一年
堀内敬三・井上武士編『日本唱歌集』岩波文庫、二〇一〇年
堀和久『死にとうない　仙厓和尚伝』新潮文庫、一九九六年
マーク・トゥエイン（大久保康雄訳）『トム・ソーヤーの冒険』新潮文庫、一九五三年
マイケル・ルイス（中山宥訳）『マネー・ボール（完全版）』ハヤカワ文庫、二〇一三年

正岡子規『歌よみに与ふる書』岩波文庫、一九八三年
マックス・ウェーバー（尾高邦雄訳）『職業としての学問』岩波文庫、一九七七年
松村明監修『大辞泉』小学館、一九九五年
真屋尚生編『社会保護政策論―グローバル健康福祉社会への政策提言』慶應義塾大学出版会、二〇一四年
―編『二一世紀の地球と人間の安全保障　健康と福祉』日本大学総合科学研究所、二〇〇四年
―『不思議の国イギリスの福祉と教育―自由と規律の融合―』芦書房、二〇二一年
―『学び心 遊び心―古典／名著／傑作／快作と人生／教育／社会／経済―』慶應義塾大学出版会、二〇〇八年
―「お別れのことば（弔辞）」前掲『天道天運天命』
―「With Cool Heads but Warm Hearts II 法螺を福沢、虚を諭吉」慶應義塾保険学会ホーム・ページ「保険人萬來―保険ひとくちコラム」二〇一五年五月一日
―「思考のエクササイズ　考エナイ脚」『砧通信』三九号、二〇一〇年
―「日英比較：社会保護の視点からみた「公と私」の関係」『商学集志』七九巻四号、二〇一〇年
丸谷才一『たった一人の反乱　上・下』講談社文庫、一九八二年
三島由紀夫『潮騒』新潮文庫、二〇〇五年
水木しげる『図説　日本妖怪大全』講談社＋α文庫、一九九四年
水野廣徳「此一戰」前掲『明治戦争文学集　明治文学全集　九七』
南方熊楠『十二支考　上・下』岩波文庫、一九九四年

三宅徳嘉・六鹿豊監修『白水社ラルース仏和辞典』白水社、二〇〇一年
宮本武蔵（渡辺一郎校注）『五輪書』岩波文庫、一九八五年
ミュア・グレイ（久繁哲徳監訳）『根拠に基づく保健医療―健康政策と経営管理の判断決定の方法―』オーシーシー・ジャパン、一九九九年
武藤禎夫校注『万治絵入本　伊曾保物語』岩波文庫、二〇〇〇年
冥王まさ子『天馬空を行く』河出文庫文藝コレクション、一九九六年
モーリス・パンゲ（竹内信夫訳）『自死の日本史』講談社学術文庫、二〇一一年
孟浩然「春暁」（李攀竜『唐詩選』）前掲『新訂　中国古典選　第一四巻　唐詩選　上』
森山茂『「ソシュール」名講義を解く！　ヒトの言葉の真実を明かそう』ブイツーソリューション、二〇一四年、
諸橋轍次『十二支物語』大修館書店、一九八九年
諸橋轍次ほか『広漢和辞典』（全四巻）大修館書店、一九八六年
森鷗外『青年』新潮文庫、一九六八年
文部科学省・厚生労働省「大学等卒業予定者の就職内定調査」二〇一〇年一二月一日
ヤコフ・イシドロヴィチ・ペレリマン（山崎昇訳）『数のはなし』東京図書、一九八七年
山口瞳（山藤章二イラスト）『酒呑みの自己弁護』ちくま文庫、二〇一〇年
山中鹿介幸盛「願わくは、我に七難八苦を与へたまへ」
山中襄太『語源十二支物語』大修館書店、一九七四年

山本周五郎『虚空遍歴　上・下』新潮文庫、一九六六年
山脇佳朗「平和への誓い」二〇一九年八月九日
安岡章太郎『愛犬物語』ケイエスエス、一九九八年
山田忠雄ほか編『新明解　国語辞典　第七版』三省堂、二〇一二年
与謝蕪村「落穂拾ひ日あたるかたへ歩みゆく」
吉川幸次郎『中国古典選　論語　上・中・下』朝日新聞社文庫、一九七八年
吉田満『戦艦大和ノ最後』講談社学芸文庫、一九九四年
ヨゼフ・ピーパー（稲垣良典訳）『余暇と祝祭』講談社学術文庫、一九八八年
羅漢中（立間祥介訳）『三国志演義　上・下』平凡社、一九七二年
良寛「散る桜 残る桜も 散る桜」（辞世の句）
臨済（入矢義高訳注）『臨済録』岩波文庫、二〇〇七年
レイモンド・チャンドラー（清水俊二訳）『プレイバック』ハヤカワ・ミステリ文庫、二〇〇七年
老子（蜂屋邦夫訳注）『老子（老子道徳経）』ワイド版岩波文庫、二〇一七年
ロバート・マルサス（永井義雄訳）『人口論』中公文庫、一九八四年
若山牧水「白玉の歯にしみとほる秋の夜の酒はしづかに飲むべかりけり」

# 固有名詞索引

（原則、書名・地名などは除く）

## 著者紹介

**真屋 尚生**（まや よしお）

慶應義塾大学商学部卒業（1968年）、同大学院商学研究科博士課程満期退学（1873年）。同大学より博士号（商学）取得（1992年）。日本大学商学部専任講師、助教授を経て、教授（1983年：2015年定年退職）。専門は、社会保障思想、保険理論。

現在：日本大学名誉教授、日本保険学会名誉会員、公益財団法人年金融資福祉サービス協会理事長、公立学校共済組合審査会会長、日本年金機構運営評議会委員、一般社団法人全国年金受給者団体連合会会長代行、公益財団法人辻国際奨学財団評議員、ほか。

この間、Visiting Researcher , St Antony's College and the Department of Social and Administrative Studies , Honorary Visiting Research Fellow , the Department of Public Health , Visiting Fellow , Green College , and Visiting Research Fellow , the Oxford Institute of Ageing , the University of Oxford , 日本大学本部学務部長、慶應義塾大学・横浜市立大学ほかの講師、日本保険学会理事、日本経済学会連合評議員、厚生省中央社会福祉審議会委員、財務省独立行政法人評価委員会委員、農林水産省農林漁業保険審査会漁業共済保険部会部会長、財団法人社会福祉振興・試験センター（厚生省）社会福祉士試験委員、東京都年金受給者協会会長、ほかを歴任。

主な著書：『保険理論と自由平等』東洋経済新報社（吉村記念厚生政策研究助成基金吉村賞受賞）、『節約と浪費―イギリスにおける自助と互助の生活史―』慶應義塾大学出版会（翻訳）、*Health and Welfare* , University Research Center , Nihon University（編著）、『保険の知識』日本経済新聞社、『学び心 遊び心―古典／名著／傑作／快作 と 人生／教育／社会／経済―』慶應義塾大学出版会、『社会保護政策論―グローバル健康福祉社会への政策提言』慶應義塾大学出版会（編著）、『不思議の国イギリスの福祉と教育―自由と規律の融合―』芦書房、ほか多数。

**晴考雨読** 年金暮らし春夏秋冬

■発　行　2021年8月30日

■著　者　真屋尚生

■発行者　中山元春

■発行所　株式会社芦書房　〒101-0048 東京都千代田区神田司町2–5
電話　03-3293-0556／FAX 03-3293-0557
http://www.ashi.co.jp

■組　版　ニッタプリントサービス

■印　刷　モリモト印刷

■製　本　モリモト印刷



ISBN978-4-7556-1318-0 C0095